Elizabeth Hand

TWELVE
MONKEYS

Roman

Aus dem Amerikanischen
von Regina Winter

GOLDMANN VERLAG

Die amerikanische Originalausgabe erschien 1995 unter dem Titel
»Twelve Monkeys« bei HarperCollinsPublishers, New York

Der Goldmann Verlag
ist ein Unternehmen der Verlagsgruppe Bertelsmann

Copyright © der Originalausgabe 1995 by Universal Pictures. All rights reserved.
Published by arrangement with
HarperCollinsPublishers, Inc, New York
Copyright © der deutschsprachigen Ausgabe 1996
by Wilhelm Goldmann Verlag, München
Umschlaggestaltung: Design Team München
Umschlagfoto: Concorde Verleih, München
Satz: Uhl + Massopust, Aalen
Druck: Elsnerdruck, Berlin
Verlagsnummer: 43488
SN / Redaktion: Andreas Helweg
Herstellung: Stefan Hansen
Made in Germany
ISBN 3-442-43488-2

1 3 5 7 9 10 8 6 4 2

Nichts unterscheidet die Augenblicke,
an die wir uns erinnern, von anderen.
Erst später drängen sie sich wieder auf,
wenn ihre Narben sichtbar werden.

Chris Marker, ›*La Jetée*‹

Im Traum donnert es, Menschen schreien, Lautsprecher knattern. Auf einem Monitor hoch oben erscheinen Abflugzeiten, dann ein Bild lächelnder Kinder. Zwanzig Meter entfernt kniet eine Frau auf dem gefliesten Boden neben einem Mann in einem geblümten Hemd. Der kleine Junge sieht zu, und die Hand seiner Mutter schließt sich fester um die seine. Er kann den Schweiß seines Vaters trotz des Old-Spice-Rasierwassers riechen, und er hört das Zittern in der Stimme seines Vaters, als dieser seinen Sohn grob wegzerrt.

»Komm schon…«

Dann ertönen Schritte und weiter entfernt das schrille Heulen eines Alarms. Der Junge bleibt stehen und starrt und kräuselt die Nase. Es riecht merkwürdig vertraut und gleichzeitig fremd, nach etwas, das er nie zuvor gerochen hat, nach Salz und glühendem Metall. Einen Moment lang fragt er sich, ob er träumt; hat er vielleicht irgendwas nicht begriffen? Aber dann hört er wieder die Stimme seines Vaters, wütender diesmal, sogar verängstigt.

»…komm schon, wir müssen hier weg.«

Seine Eltern ziehen ihn weg, aber er reckt den Hals, starrt immer noch die kniende Frau an. Ihr Haar glänzt im

Licht der Leuchtstoffröhren wie gesponnenes Karamel, sie öffnet den Mund wie zu einem Kuß, nein, sie wird gleich anfangen zu schreien…

Aber sie schreit nicht. Statt dessen beugt sie sich zu dem Mann vor. Selbst von hier kann der Junge sehen, wie ihre Tränen fließen, sieht die schwarzen Streifen verwischter Wimperntusche. Der Mann auf dem Boden hebt die Hand. Er berührt sie, seine Finger hinterlassen kleine rote Blütenblätter auf ihrer Haut. Dann fällt seine Hand schlaff auf seine Brust zurück, wo sich mehr Blüten ausbreiten, üppig und feucht und rot auf dem bunten Hawaiihemd.

»*Letzter Aufruf für Flug Nummer 784 nach San Francisco*«, ertönt es aus den Lautsprechern. »*Die Fluggäste werden gebeten, sich zu Gate Nummer achtunddreißig zu begeben, Gate Nummer…*«

Überall sind jetzt Leute. Jemand hilft der Frau auf die Beine; jemand anderes kniet sich neben den Mann auf den Boden und reißt ihm hektisch das Hawaiihemd auf. Von weitem hört der Junge eine Sirene, Rufe, das Knattern von Funksprechgeräten der Sicherheitsleute. Sein Vater zieht ihn grob weiter. Er spürt die Hand seiner Mutter in seinem Haar und hört, wie sie murmelt, mehr für sich als an ihn gerichtet –

»Schon gut, mach dir keine Gedanken, es wird schon alles wieder gut…«

Aber er weiß sofort, daß sie lügt, daß nichts je wieder gut werden wird. Er weiß, er hat einen Menschen sterben sehen.

Als er die Augen aufschlug, war es dunkel, wie immer. Es roch nicht mehr nach Rasierwasser und Salz, nur noch nach ungewaschenen Menschen und nach Kot. Von oben plärrte ein Lautsprecher, gestört von lautem Knattern.

»...*Nummer 5429, Ishigura, Nummer 87645, Cole*...«

Er blinzelte verwirrt, fuhr sich mit der Hand übers Gesicht und strich sich das strähnige dunkle Haar aus der Stirn. »Nummer 87645...« Als er seine eigene Nummer erkannte, wurde Cole vollends wach und warf einen Blick in den benachbarten Pritschenkäfig.

»Heh«, flüsterte er. »José! Was ist da los?«

In den anderen Käfigen drehten sich Leute um und starrten ihn an, Augen glitzerten im trüben Licht. Einen Moment lang wich José seinem Blick aus.

Dann flüsterte er: »Mann, das war dein Name.«

Cole schüttelte den Kopf. »Ich hab geschlafen«, sagte er. »Und geträumt.«

»Schade, daß du aufgewacht bist.« José drehte sich auf den Bauch, stieß dabei mit dem Ellbogen an das Metallgitter der Pritsche. »Sie suchen Freiwillige.«

Ein kalter Luftzug traf Coles Nacken. »Freiwillige«, wiederholte er dumpf. Aus dem dunklen Korridor waren Stimmen zu hören, das Klappern von Stiefeln auf geborstenem Beton. José bleckte die Zähne und grinste.

»He, vielleicht wirst du begnadigt, Mann.«

»Klar«, erwiderte Cole. Ihm war jetzt überall kalt, Schweiß brach ihm unter dem dünnen, kratzigen Uniformstoff aus. »Deshalb sieht man die ›Freiwilligen‹ nie wieder, sie werden alle begnadigt.«

Die Stimmen kamen näher. Man konnte das Schaben von Haut auf Metall hören, als sich die Männer in den Pritschenkäfigen drehten und wandten, um besser sehen zu können. »Ein paar kommen zurück«, meinte José hoffnungsvoll. »Das habe ich jedenfalls gehört.«

»Nach oben, in den siebten?« Cole grinste und wies mit dem Daumen zur Decke. »Da verstecken sie sie. Vollkommen übergeschnappt. Hirn im Arsch.«

»Du weißt nicht, ob sie wirklich übergeschnappt sind«, meinte José abwehrend. »Du hast sie ja nie gesehen. Niemand hat sie gesehen. Vielleicht sind sie gar nicht verrückt. Das ist nur ein Gerücht. Niemand weiß was Genaues.« Sein Blick wurde verträumt, verschwommen. »Ich glaube das jedenfalls nicht«, sagte er leise.

Ein Lichtstrahl durchschnitt das Dunkel, streifte geschorene Schädel, zahnlückige Münder. José zog sich die Decke übers Gesicht.

»Viel Glück, Mann«, zischte er.

Cole blinzelte in einen Kreis grellen Lichts, der vor seinem Käfig verharrte.

»Freiwilligeneinsatz«, verkündete ein stämmiger Wärter.

»Ich hab mich nicht freiwillig gemeldet«, sagte Cole leise. Die Gefangenen in den Nachbarkäfigen sahen mißtrauisch zu.

»Willst du wieder Ärger machen?« höhnte der Wärter.

Cole starrte ihn an, dann schüttelte er den Kopf. »Nein«, murmelte er. »Ich mach keinen Ärger.«

Die winzige Tür des Käfigs klappte auf und Cole taumelte heraus; die Wärter packten ihn an den Armen und zerrten ihn grob mit sich. Er ging zwischen ihnen, versuchte, nicht die Hunderte von Augen zu sehen, die ihn fixierten, kalt und leuchtend wie Stahlträger, versuchte, die geflüsterten Schimpfworte und gemurmelten Flüche zu überhören, das eine oder andere leise »Viel Glück, Mann«, das ihm durch den schmutzigen Korridor folgte.

Freiwilligeneinsatz...

Sie brachten ihn in einen Teil des Lagers, den er nie zuvor gesehen hatte, an endlosen Reihen von Käfigen vorbei, durch endlose Flure ohne Fenster und Türen. Der faulige Gestank der Pritschen ließ langsam nach, wich abgestandener warmer Luft. Die Flure wurden breiter. Türen tauchten auf, und hinter den meisten klaffte tiefe Dunkelheit. Nach etwa einer Viertelstunde blieben die Wärter vor einer Metallwand stehen, die von Rost und Tausenden von Einschußlöchern zernarbt war.

»Hier.« Der Wärter, der ihn angesprochen hatte, tippte einen Zugangscode ein. Die Tür ging auf, und der Wärter schob ihn hinein. Cole taumelte nach vorn, stolperte und fiel hin. Mit einem gedämpften *Pst* schloß sich die Tür hinter ihm.

Er wußte nicht, wie lange er dort gelegen und seinem Herzschlag und den Schritten der Wärter gelauscht hatte, die sich in der Stille verloren. Als er schießlich versuchte aufzustehen, taten ihm die Beine weh – er war nicht mehr an Bewegung gewöhnt. Er hatte einen bitteren Geschmack im Mund. Der Raum war so dunkel, daß er nur Schatten ausmachen konnte, die kantigen Umrisse von Maschinen und Drahtspulen und unter der Decke etwas, das nach Rohren aussah.

»Weitergehen«, befahl eine Stimme. Cole sah sich um, bis er die Geräuschquelle fand, ein kleines Gitter an der Wand.

»Wohin denn?« fragte er.

»Weiter«, wiederholte die Stimme, diesmal eine Spur drohender.

Cole durchquerte vorsichtig den dunklen Raum und gab sich Mühe, nicht zu stolpern. Er war fast an der anderen Seite angekommen, als er stehenblieb und den Atem anhielt.

Vor ihm an der Wand lehnte eine Reihe bleicher Gestalten, geisterhaft, mit riesigen, leeren Augen. Cole starrte sie an und seufzte dann erleichtert: Es waren weder Gespenster noch Inquisitoren, sondern Anzüge. Raumanzüge oder Schutzanzüge, jeder mit einem Helm und einem Plastikvisier. Darunter hingen Reihen von Sauerstofftanks, Kisten mit Taschenlampen, Plastikröhren und -flaschen, schwere Industriehandschuhe und Karten.

»Weiter«, wiederholte die Stimme aus dem Lautsprecher.

Er tastete an den Anzügen herum, bis er einen fand, der so aussah, als könne er ihm passen. Er zog ihn an – das Material schmiegte sich dicht an seine breite Brust – und kämpfte dann mit dem Reißverschluß.

»Alle Öffnungen müssen geschlossen werden«, sagte die Stimme. Cole zog am Reißverschluß und zuckte zusammen, als die Metallzähne ihm in die Haut bissen. »Wenn die Schutzfunktion des Anzugs gestört wird, weil das Material reißt oder ein Reißverschluß nicht geschlossen ist, wird der Wiederzutritt verwehrt.« Mehr Reißverschlüsse, eine Reihe metallener Klemmen. Dann stand er da, atmete schwer und schwitzte bereits in seiner dicken Stoffhülle.

»Weiter«, forderte die Stimme.

Er sah sich um und entdeckte eine weitere, kleinere Tür in der Wand hinter sich. Er ging darauf zu, blieb wieder stehen. Er stülpte sich den Plastikhelm über den Kopf, schloß das Visier, bückte sich dann und schwang sich eine der Sauerstoffflaschen auf den Rücken. »Jesses«, grunzte er, als er das schwere Gerät befestigte. Er zog den Schlauch aus der Halterung und führte ihn in den Helm ein. Dann bückte er sich zu der Kiste, die vor ihm stand, nahm einen Gegenstand nach dem anderen heraus und betrachtete ihn stirnrunzelnd. Wie im Traum hob er eine Flasche, blinzelte, um zu sehen, ob sie beschriftet war, legte sie dann zurück und nahm sich eine größere. Der bittere Geschmack in seinem Mund wurde intensiver, und er gähnte, hielt sich die behandschuhte Hand vor den Mund. Flaschen, Phiolen, eine Karte. Zuletzt wühlte er eine Taschenlampe hervor und probierte sie aus, um sich zu überzeugen, ob sie auch funktionierte.

»Weiter.«

Cole durchquerte den Raum, langsam und ungelenk in dem schweren Anzug, und sein Herz raste vor Anstrengung und einem Gefühl, das er lieber nicht als Angst identifizierte. Als er die Tür erreichte, glitt sie auf und enthüllte eine kleine Kammer, eine Art Luftschleuse. Er ging hinein. Die Tür schloß sich hinter ihm. Er atmete schneller, bediente sich jetzt der Sauerstofftanks auf seinem Rücken. Gegenüber war eine andere Tür mit einem riesigen Verschlußrad. Er drehte das Rad, stöhnte, weil es so schwer ging, schob dann langsam die Tür auf und trat hindurch. Sofort verlor er das Gleichgewicht und konnte sich gerade noch fangen, bevor er fiel.

»Verdammter Mist.«

Die kleine Kammer bewegte sich ruckend. Ein Knirschen ertönte und ohrenbetäubendes Scheppern; er befand sich in einem Aufzug, der nach oben fuhr. Ein paar Augenblicke lang lehnte er sich an die Wand und versuchte, sich zu beruhigen. Dann bremste der Fahrstuhl ruckartig. Cole ging zögernd wieder zur Tür zurück. Eine Minute verging; weder der Aufzug noch die Tür rührten sich. Cole konnte seinen eigenen Atem hören; es klang wie Donner. Schließlich riß er sich zusammen und öffnete die Tür.

Draußen war es stockfinster und feucht. Er konnte das leise *Plink Plink* von Wassertropfen hören, gedämpft durch den Helm. Die Taschenlampe zeigte ihm schwarzes Wasser, das träge in einem unterirdischen Kanal floß. Ein

Abflußkanal. Cole war dankbar für die Sauerstoffflaschen. Auf der anderen Seite des Kanals führte eine rostige Leiter eine bröckelnde Betonwand hinauf. Cole suchte nach seiner Karte, faltete sie auf, ungeschickt, wegen der schweren Handschuhe. Er sah wieder zur Leiter hin, faltete die Karte seufzend zusammen und stieg ins Wasser.

Die Leiter zitterte unter ihm, als er zu klettern begann. Er versuchte, sein Gewicht so gleichmäßig wie möglich zu verteilen, damit die brüchige Konstruktion nicht unter ihm zusammenbrach und ihn zurück ins schwarze Wasser stürzen ließ. Als er die oberste Sprosse erreicht hatte, stieß er mit dem Kopf gegen die Decke, deren abbröckelnder Beton mit schwarzen, glitschigen Schimmelstreifen überzogen war. Cole zog eine Grimasse und spähte nach oben, bis er gefunden hatte, wonach er suchte. Er hielt sich mit einer Hand an der Leiter fest, mit der anderen drückte er gegen die Decke, bis sie sich bewegte. Mit einem plötzlichen lauten Knacken gab der Kanaldeckel nach. Ein Kreis bläulichen Lichts öffnete sich über ihm, als er den Deckel zur Seite schob. Cole kletterte hinaus.

Nacht!

Aber nicht die künstliche Nacht, die er schon so lange kannte, mit ihrem Gestank nach eingesperrten Männern und verrottendem, pflanzlichem Eiweiß. Statt dessen ragten Gebäude über ihm auf, Stadthäuser und Wolkenkratzer und Mietshäuser aus Ziegeln; ihre zerbrochenen Fenster glitzerten wie silberne Zähne im Mondlicht. Auch in der Luft schwebte Silber; Cole streckte die behandschuhte

Hand aus und sah verblüfft zu, wie sie mit Kristallen bestäubt wurde.

Schnee. *Schnee!*

»Lieber Gott!« murmelte er.

Echte Kälte, echter Schnee.

Er richtete sich wieder auf und drehte sich, so daß der Lichtkegel der Taschenlampe über die nächste Umgebung schweifte. Er befand sich auf einem Platz, der von toten Häusern umgeben war, zwischen riesigen Bäumen, deren Äste sich durch leere Schaufenster gebohrt hatten, und den gebrochenen Wirbelsäulen von Telefonmasten. Unkrautüberwucherte Metallbuckel waren einmal Autos gewesen. Er konnte sich nicht erinnern, wann er zum letzten Mal ein Auto gesehen hatte, aber beim Anblick der Unkrautranken runzelte er die Stirn, weil ihm etwas einfiel. Wieder ein Traum; diesmal einer, in dem er sich in einem lichterfüllten Zimmer befunden hatte, in einem Kreis blasser Gesichter, und eine monotone Stimme hatte die auf einem Bildschirm flackernden Bilder kommentiert.

»Pueraria lobata, gemeiner Kudzu. Ein Unkraut, das einer ganzen Reihe von Insekten als Heimstatt dient...«

Er tastete an seinem Gürtel herum, bis er eine Flasche fand, dann näherte er sich vorsichtig den Autos. Mit einer Hand suchte er zwischen den Ranken herum, bis er mit einem Triumphschrei einen winzigen Käfer erwischte. Ungeschickt öffnete er die Phiole und steckte gerade den Käfer herein, als er hinter sich ein Geräusch hörte. Er drückte das Glas an die Brust und fuhr herum.

»Was zum –!«

Im Lichtkegel erhob sich ein riesiger Schatten und fauchte ihn an. Cole taumelte nach hinten, das Tier blieb aufgerichtet stehen, schlug mit den Klauen nach dem Schnee, hatte das Maul weit aufgerissen und entblößte eine Reihe weißer Zähne.

»Jesses!«

Ein Bär. Das Fauchen wurde zu einem Brüllen. Einen Augenblick dachte Cole, das Tier würde sich auf ihn stürzen. Aber statt dessen ließ es sich wieder auf alle viere nieder, wandte sich ab und stapfte, ohne sich noch einmal umzudrehen, die Straße hinunter. Cole sah ihm nach, mit heftig klopfendem Herzen. Als es außer Sicht war, kehrte er langsam auf den Platz zurück.

Das Mondlicht verwandelte die mit Schnee und Laub zugewehten Schaufenster in einen erstarrten Zirkus. In einem Fenster lag eine Spielzeugeisenbahn, zerbrochen. Starräugige Schaufensterpuppen trugen Lumpen und vereinzelte Spuren von Lametta, ihre starren Hände zeigten auf Stofftiere, aus deren Bäuchen Sägemehl und Schaumgummifetzen hervorquollen. Unter einem kleinen metallenen Weihnachtsbaum lag ein gefallener Engel, das Gesicht schmutzbespritzt. Vorsichtig ging Cole durch das zerbrochene Fenster ins Haus und in den großen Verkaufsraum; das Licht der Taschenlampe tanzte über Metallständern mit verrottenden Kleidern. Er blieb stehen, als der Lichtstrahl eine Schaufensterpuppe mit einem Hawaiihemd traf, die wild grinsend unter einem Schild stand:

Beginnen Sie das neue Jahr mit einem Traumurlaub auf den Keys!!! Zwischen den ausgestreckten Fingern der Puppe glitzerte ein kunstvoll gesponnenes Spinnennetz im Licht.

»Na gut.« Cole griff nach einem weiteren Sammelbehälter. Als seine behandschuhte Hand die Spinne vom Faden pflückte, stürzte das Netz in sich zusammen. Mit einem Geräusch, das wie ein Seufzer klang, erbebte die Schaufensterpuppe. Das Hawaiihemd zerfiel zu Staub, und Tauben, die im Schatten gehockt hatten, flatterten auf.

Cole ging wieder nach draußen; Scherben knirschten unter seinen Füßen. Schnee wurde in weichen Wirbeln gegen die Hauswände geweht. In der Ferne konnte er ein leises Heulen hören: Wölfe. Am anderen Ende des Platzes war ein Kino. Auf dem Bürgersteig unter dem Vordach lagen einzelne Buchstaben unter einer dünnen Schneedecke. Oben auf dem Vordach stand:

F LMKLA SIKE   RUND   M DIE UHR
HIT HCOCK   ESTIVAL

Aber das bemerkte er kaum, sondern ging statt dessen langsam und entschlossen auf die verfallende Ziegelmauer neben dem Vordach zu. Zwischen obszönen Graffiti und zerrissenen Plakaten war mit einer Schablone ein Bild aufgesprüht: zwölf Affen, die in einem geschlossenen Kreis tanzten. Daneben stand: Geschafft!

Cole starrte das Bild an. Als er schluckte, hatte er einen

sauren Geschmack im Mund, einen bitteren Nachge-
schmack. Er wandte sich von der Mauer ab, verließ den
Platz und ging an einem weitläufigen, leeren Bahnhof vorbei. Er sah die Silhouetten nicht, die im gähnenden Bahn-
hofseingang kauerten – sechs Wölfe, deren grüne Augen
unheilvoll im Mondlicht glitzerten. Aber es gab noch andere, einzelne Fußspuren, sehr große, an deren Spitzen sich
deutlich Klauenabdrücke abzeichneten. Er folgte ihnen,
bis er einen kleinen, braunen, in der Kälte dampfenden
Haufen fand. Cole bückte sich und schaufelte ein wenig
Kot in einen weiteren Sammelbehälter. Hinter ihm zogen
die Wölfe lautlos davon. Cole verschloß den Sammelbehälter und folgte weiter den Spuren des großen Tiers.

Er kam zu einem wunderschönen alten Jugendstilgebäude, das von üppigem Efeu überwuchert war, die zerbrochenen Stufen bedeckt mit Knochen und Glasscherben. Die Spuren führten hinein, die Treppe hinauf durch
einen dunklen Bogengang. Oben auf einem geschwunge-
nen Sims hockte eine Eule, die ihre runden, gelben Augen
auf den Mann unter sich richtete. Schwaches Licht fiel auf
die breite Treppe. Als Cole das Haus betrat, blinzelte die
Eule in die ersten Sonnenstrahlen, die sich am Horizont
vorwagten. Dann breitete sie die Flügel aus und schwang
sich hoch in die Luft über der verlassenen Stadt.

Die Spuren führten in eine riesige Vorhalle, in der Bäume
wuchsen. Durch ein zerbrochenes Oberlicht wurde es
langsam hell. Überall hatte der Wind Laub aufgehäuft, und
der Tiergestank war so intensiv, daß Cole ihn trotz des

Helms riechen konnte. Er kam an dicken Säulen vorbei, an denen sich Efeu emporrankte, betrat breite Marmorstufen, die von Eis und verrottenden Pflanzen rutschig waren. Weit offenstehende Türen führten zu einer Aussichtsterrasse. Überall zerbrochene Dachziegel und Glasscherben. Mißtrauisch folgte er den Spuren, stapfte über Schutt und Scherben. Ein leises Hüsteln erklang, als würde sich jemand räuspern. Cole fuhr herum.

Auf der Wand hinter ihm war ein roter Kreis aufgesprüht. Darin tanzten dieselben Affen über derselben triumphierenden Unterschrift und zogen Grimassen.

GESCHAFFT!!!

Wieder erklang das Hüsteln, diesmal lauter. Cole blickte auf und sah auf dem Dach des üppig verzierten Gebäudes eine Silhouette, die sich schwarz gegen die plötzliche Helligkeit des Sonnenaufgangs abhob. Ein Löwe, dessen Mähne wie eine Krone aus schimmerndem Gold leuchtete, warf den Kopf zurück und brüllte, bis das Geräusch von überallher widerhallte – der alleinige Herrscher über ein Königreich, das die Menschen verlassen hatten.

»Weiter.«

Eiskaltes Wasser brach aus Düsen in der Wand hervor und hämmerte auf Coles nackten Körper ein. Er schauderte, versuchte nicht zu schreien und duckte sich, als zwei Gestalten in Schutzanzügen mit zwei langen Stangen auf ihn zukamen. An den Enden der Stangen befanden sich Drahtbürsten. Die Gestalten schrubbten ihn gnadenlos ab;

hin und wieder konnte er ein Grinsen hinter einer Schutz-anzugmaske aufblitzen sehen.

»Die Arme über den Kopf.«

Cole gehorchte und zuckte zusammen, als statt Wasser ätzende Chemikalien auf ihn einsprühten, die ihm auf der Haut brannten. Die Gestalten in Schutzanzügen schrubbten seine Achselhöhlen. Faulig stinkendes Wasser spritzte um seine Knöchel und verschwand wirbelnd im Abfluß. Aus einem Lautsprecher in der Decke kam eine Stimme:

»Weiter.«

Die beiden Gestalten gingen hinaus. Cole kam aus der Dusche in einen schmalen Flur, immer noch nackt, und je-der Quadratzentimeter seiner Haut fühlte sich wund an. Im nächsten Raum stand ein dreibeiniger Schemel unter einer einzelnen, flackernden Birne. Neben dem Hocker stand eine kleine weiße Plastikschachtel. Cole biß die Zähne zusammen, damit sie nicht mehr klapperten, und setzte sich.

»Weiter.«

Der Hocker ächzte unter seinem Gewicht, als er nach der weißen Plastikschachtel griff und eine altmodische Spritze herausholte. Er machte eine Faust, stach sich un-geschickt in den Arm und sah zu, wie das Blut langsam in der Spritze aufstieg. Als er aufblickte, entdeckte er ein ein-zelnes, milchiges Fenster aus dickem Plastik in der rosti-gen Eisenwand. Dahinter bewegten sich Schatten, beob-achteten ihn. Als die Spritze voll war, legte er sie vorsichtig in ein Fach der Plastikschachtel. In dem schmalen Flur tauchten zwei Wärter auf und reichten ihm eine Häftlingsuniform. Ohne auf eine Aufforderung zu warten, stand Cole auf und zog sich die Uniform an.

Als er fertig war, führten sie ihn einen weiteren schmalen Flur entlang. Die Uniform kratzte quälend auf seiner wunden Haut. Die Luft war abgestanden, aber nicht so warm wie in den Käfigen. Er machte nicht den Fehler, einen der Wärter zu fragen, wohin sie ihn führten. Nach ein paar Minuten blieben sie vor einer großen Tür stehen, die leise aufglitt.

»Los.« Einer der Wärter schubste Cole vorwärts.

Er befand sich in einem Raum, in dem jede erdenkliche Oberfläche mit Bedrucktem bedeckt war: Wände und Decke, selbst Teile des Fußbodens waren mit Fotos, alten Zeitungen, Karten, Listen, Computerausdrucken, Fahrscheinen, Zeitschriftenumschlägen, Arztberichten, Rechnungen beklebt. »DIE UHR LÄUFT!!! NOCH IMMER KEINE HEILUNG MÖGLICH!!!« schrie eine Schlagzeile. Regale bogen sich unter der Last modriger Bände, unvollständiger Lexikonausgaben. An einer Wand standen eine Reihe Computer, ihre Bildschirme leer und grau. Es gab eine windschiefe Pyramide aus Fernsehern mit zerbrochenen Bildschirmen und ein altes Motorola-Radio. Und mitten im Raum stand ein langer Konferenztisch, der mit weiterem, elektronischem Schrott bedeckt war: Platinen, ein paar Dutzend Fernbedienungen für Fernseher, ein Transistorradio. Um den Tisch saßen sechs Männer und Frauen

22

in fleckigen weißen Kitteln, die Cole an Chirurgenkleidung erinnerten.

Einer der Wärter räusperte sich. »James Cole. Frisch aus der Quarantäne«, meldete er.

Am Kopf des Tisches nickte ein Mann. Er hatte feingeschnittene, abgehärmte Züge und lange, bleiche Hände. Er trug eine schwere, dunkle, eckige Brille. »Danke. Sie können draußen warten«, sagte er zu den Wärtern. Dann wandte er Cole abschätzend die dunklen Brillengläser zu.

»Er ist berüchtigt, Doktor«, wandte einer der Wärter ein. »Gewalttätig. Unsozial Sechs, fünfundzwanzig bis lebenslänglich.«

Der Wissenschaftler hatte seinen leeren Blick weiterhin auf Cole gerichtet. »Ich glaube nicht, daß er uns etwas tun wird. Sie werden uns doch nichts tun, oder, Mr. Cole?«

Cole schüttelte kaum wahrnehmbar den Kopf. »Nein, Sir.«

»Selbstverständlich nicht. Gefangene fallen keine unschuldigen Mikrobiologen wie mich an.« Er lächelte kühl und entließ die Wärter mit einer Geste. »Sie können gehen. Wieso setzen Sie sich nicht, Mr. Cole?«

Am Konferenztisch stand noch ein leerer Stuhl. Cole sah die anderen Weißgekleideten an. Sie betrachteten ihn kalt, unpersönlich; eine Frau unterdrückte ein Gähnen.

»Mr. Cole?« drängte der Mikrobiologe leise. Cole setzte sich.

Der Mann baute einen Tempel aus seinen Fingern. Minutenlang sagte er gar nichts. Und dann: »Erzählen Sie uns von gestern nacht.«

Cole holte tief Luft. »Da gibt's nicht viel zu erzählen«, begann er. »Ich –«

»Nein«, korrigierte der Mikrobiologe. Seine Stimme klang hell und drohend. »Wir werden Ihnen Fragen stellen. Sie antworten so ausführlich wie möglich. Also: Wo waren Sie, als sie den Aufzug verließen?«

»In einem Abflußkanal.«

»Einem Abflußkanal.« Der Mikrobiologe warf der Frau neben sich, die ernsthaft auf einem Fetzen Papier herumkritzelte, einen Blick zu. »In welche Richtung floß das Wasser?«

Cole runzelte die Stirn. »In welche –«

»Keine Fragen, Mr. Cole!« fauchte der Mikrobiologe und zeigte gleichmäßige, weiße Zähne. »Sie sollten lieber gehorchen. Also, in welche Richtung floß das Wasser?«

»Äh… nach Norden«, riet Cole. Er spürte, wie ihm kalter Schweiß auf die Stirn trat.

»Nach Norden«, wiederholte der Mikrobiologe und rückte die dunkle Brille zurecht. Ein paar der anderen am Tisch nickten. »Sehr gut. Und, ist Ihnen irgendwas im Wasser aufgefallen?«

So ging es eine Stunde lang weiter. Cole tränten die Augen vor Erschöpfung; auf der Zunge schmeckte er die ätzenden Chemikalien. Ein anderer Wissenschaftler reichte ihm eine Tafel und bat ihn, eine Karte zu zeichnen.

»Probe Nummer vier. Wo haben Sie die gefunden?«

Cole rutschte unruhig hin und her. Der Raum verschwand vor seinen Augen, seine Finger hinterließen feuchte Flecke auf der Tafel. »Äh...«

»Es ist wichtig, alles genau zu beobachten«, warf eine Frau ungeduldig ein.

Cole schluckte. »Ich glaube, es war... Ich bin sicher, es war in der Zweiten Straße.«

Die Wissenschaftler begannen, aufgeregt miteinander zu flüstern. Cole setzte zu einem Gähnen an, hielt sich dann die Hand vor den Mund. Er sah sich um, und sein Blick fiel auf eine weitere Schlagzeile.

»VIRUS MUTIERT!!!«

Daneben hing ein verblaßtes Zeitungsfoto eines alten Mannes in einem Tweedsakko, der eine Miene resignierter Verzweiflung zur Schau trug.

»WISSENSCHAFTLER SAGT: ›ZU SPÄT ZUR HEILUNG‹«

Eine Stimme brach in Coles Gedanken ein. »Schließen Sie die Augen, Cole.« Cole zuckte zusammen und schloß dann gehorsam die Augen. Die Dunkelheit war eine Erleichterung.

»Erzählen Sie uns genau, was Sie in diesem Zimmer gesehen haben«, sagte eine Frau leise.

Cole schüttelte den Kopf. »In diesem Zimmer? Äh...«

»Erzählen Sie uns von den Bildern an der Wand«, forderte der Mikrobiologe.

»Meinen Sie die Zeitungen?«

»Ja, genau«, sagte die Frau beruhigend. »Erzählen Sie

uns von den Zeitungen, Cole. Können Sie meine Stimme erkennen? Wie sieht der Mann, der gerade gesprochen hat, aus? Wie alt waren Sie, als Sie zum ersten Mal die Oberfläche verließen?«

»Wie alt…?«

»Erzählen Sie«, drängte die Frau.

»Erzählen Sie«, schlossen sich weitere Stimmen an. »Erzählen Sie, erzählen Sie…«

Er legte den Kopf zurück, die Augen immer noch fest geschlossen. Er war so erschöpft, daß jede Faser seines Körpers schmerzte. Der bittere Geschmack klebte immer noch an seinem Gaumen. Er fragte sich verschwommen, ob man ihm Drogen gegeben hatte – er konnte sich an so wenig erinnern, und selbst jetzt wußte er nicht genau, ob er wach war oder träumte. *Wie alt waren Sie, als Sie die Oberfläche verließen?* Er versuchte, ein Gähnen zu unterdrücken, als die Stimmen verebbten und in einer anderen Stimme untergingen, die dröhnte und dröhnte…

»Letzter Aufruf für Flug Nummer 784. Bitte begeben Sie sich zu Gate…«

Er stand vor dem Aussichtsfenster und beobachtete, wie eine 737 zügig aus der smogbeladenen Luft niederging und mit quietschenden Reifen auf der Landebahn aufsetzte. Seine Mutter hielt locker seine Hand. Sein Vater zeigte auf das Flugzeug und sagte: »Schau mal – da ist es –«

Von hinten war ein Schrei zu hören, die Stimme einer Frau, laut. Er drehte sich um, sein Vater griff nach seiner freien Hand, und dann sah er einen Mann in mittleren Jahren mit einem schütteren Zopf vorbeieilen. Als der Mann um die Ecke bog, stieß er den jungen Cole mit einer Chicago-Bulls-Sporttasche an.

»He!« Cole sah dem Mann erbost nach. Eine Frauenstimme zerriß die Luft.

»NEEEEIIIN!«

Überall rannten und schrien Menschen, Gepäckstücke rutschten über den Boden. Cole sah mit offenem Mund zu, als ein Mann zu Boden stürzte, auf den Rücken fiel, ihn mit angsterfüllten Augen ansah und schrie –

»Aus welchem Grund haben Sie sich freiwillig gemeldet?«

Cole keuchte. Er riß die Augen auf: Vor ihm stand wieder der Tisch voller Elektronikschrott, umgeben von angespannten Gesichtern.

»Ich fragte, wieso Sie sich freiwillig gemeldet haben?« Der Mikrobiologe tippte ungeduldig mit einem Bleistift auf den Tisch.

Cole schluckte, sah sich um. »Na ja, also – der Wärter hat mich geweckt. Er hat mir gesagt, ich sei ein Freiwilliger.«

Die Wissenschaftler wandten sich einander zu, flüsterten hektisch. Cole versuchte verzweifelt, die Augen offenzuhalten, aber es war zuviel: Der Traum begann von neuem, sich in seinem Kopf breitzumachen. Sein Kinn sackte auf die Brust, er konnte die Sprechanlage dröhnen hören, und Schritte…

»Cole? Cole?«

Das Hämmern des Bleistifts auf der Tischplatte weckte ihn wieder. Cole fuhr auf und schaute einem ernst aussehenden Mann mit silbernem Haar und einem goldenen Ohrring ins Gesicht – er hatte sich zuvor als Astrophysiker vorgestellt. Der Astrophysiker nickte und sagte: »Wir wissen Ihren Einsatz zu schätzen. Sie sind ein sehr guter Beobachter, Cole.«

Cole warf dem Mikrobiologen einen Blick zu, doch der trommelte weiter mit dem Bleistift. Er nickte. »Äh, danke.«

»Sie erhalten Strafnachlaß.« Der silberhaarige Astrophysiker sah Cole an, erwartete offensichtlich weiteren Dank, aber Cole bewahrte eine ungerührte Miene.

»Das muß selbstverständlich noch von den zuständigen Autoritäten entschieden werden«, warf ein anderer Wissenschaftler ein.

»Wir haben ein anderes Programm«, fügte eine Zoologin hinzu. Ihr Tonfall machte deutlich, daß sie von Cole eine beeindruckte Reaktion erwartete. »Sehr weit entwickelt, etwas ganz anderes. Wir benötigen wirklich gut ausgebildete Kräfte.«

Der Mikrobiologe beugte sich vor, richtete die dunklen Gläser unheilverkündend auf Cole. »Es wäre eine Gelegenheit, ihre Strafe beträchtlich zu reduzieren…«

Die Zoologin nickte. »Und vielleicht eine wichtige Rolle bei dem Versuch spielen, die Menschen wieder auf die Erdoberfläche zurückzubringen«, sagte sie.

»Wir brauchen entschlossene, psychisch stabile Mitarbeiter. Wir hatten ein paar... Probleme... mit labilen Typen.«

Cole spürte, wie sich sein Magen zusammenzog. Eine der Frauen sah ihn kritisch an. »Für einen Mann in Ihrer Situation«, sagte sie und ihre Augen blitzten, »könnte das eine Möglichkeit sein.«

»Sich nicht freiwillig zu melden, ist wahrscheinlich ein großer Fehler«, fügte ein Mann leise hinzu.

Cole öffnete den Mund um zu antworten; dann zögerte er. Der Mikrobiologe trommelte ungeduldig mit dem Bleistift.

»Mit Sicherheit ein großer Fehler«, sagte er.

Cole starrte den Bleistift an, die bleichen Finger, die ihn umklammerten, dann sah er sich um, schaute in die nervösen Gesichter. Er holte tief Luft und fragte:

»Wann fange ich an?«

»Und dennoch, zwischen Myriaden Mikrowellen und Infrarotbotschaften, zwischen Gigabytes aus Nullen und Einsen finden wir Worte, die jetzt Byte-Größe haben...«

Dr. Kathryn Railly starrte fasziniert den Mann an, der vorn im Raum auf einem hohen Hocker saß. Sie hatte ihn schon einmal lesen gehört, in einem anderen Club in Philly, aber heute war er wirklich mitreißend. Sie rückte ihre Brille zurecht, strich sich eine Strähne ihres dunklen Haars aus dem Gesicht, beugte sich vor und hörte gespannt zu.

»..., Worte – noch unbedeutender als die Wissenschaft –, die sich in vager Elektrizität verkrochen haben, wo wir immer noch, wenn wir nur intensiv genug lauschen, die Stimme des Dichters hören können, der uns sagt, daß der Wahn von gestern die Quelle für das Schweigen, den Triumph und die Verzweiflung des morgigen Tages...«

Briep! Briep!

Kathryn zuckte zusammen, dann griff sie nach dem Pieper in ihrer Tasche. Mehrere schwarzgekleidete Bohemiens drehten sich nach ihr um und starrten sie wütend an.

»Entschuldigung«, flüsterte sie und stand auf. Ihre Nachbarn warfen ihr dreiste Blicke zu, als sie über ihre Füße stieg, an Klappstühlen, Kaffeebechern und Neo-Beatniks vorbei. »Entschuldigung; tut mir leid...«

Der Dichter starrte sie an und hob die Stimme: »›...und nicht wissen, weshalb wir gehen, noch wohin.‹«

Nur, daß Kathryn selbstverständlich wußte, wohin sie ging. In der Eingangshalle fand sie einen Münzfernsprecher und wählte eine Nummer. Sie sollte zum Achten Polizeirevier kommen. Detective Franki wartete dort schon auf sie. Er war Anfang Vierzig und hatte die Augen eines Mannes, der schon zu viele smoggeschwängerte Sonnenaufgänge gesehen hatte, vom falschen Ende der Stadt aus. Er nickte ihr knapp zu.

»Dr. Railly. Danke.« Ohne weitere Formalitäten nahm er ihren Arm und schob sie den Flur entlang, wobei er sie über den Fall informierte.

»...und dann fragen sie den Kerl ganz freundlich nach einem Ausweis oder so, und er regt sich furchtbar auf und schreit was von Viren. Vollkommen irrational, vollkommen desorientiert, weiß nicht, wo er ist, weiß nicht, welcher Tag heute ist, blickt überhaupt nicht durch. Sie haben nur seinen Namen aus ihm rausholen können.« Franki reichte Kathryn ein Blatt, während sie an überfüllten Arrestzellen vorbeikamen. »Sie nehmen an, daß er vollkommen bekifft ist oder irgendwie psychotisch oder so –«

»Hat man ihn auf Drogen überprüft?«

Franki schüttelte den Kopf. »Nichts gefunden. Aber er hat sich mit fünf Cops gleichzeitig angelegt, als wäre er bis unter die Haarspitzen zu. Keine Drogen! Ist das zu glauben?«

Er blieb vor einem kleinen Beobachtungsfenster stehen. Kathryn holte tief Luft und strengte sich an, das Gesicht trotz des Gestanks nach Urin und Desinfektionsmittel nicht zu verziehen. Dann beugte sie sich vor und spähte durch das schmutzige Glas.

In der Zelle hatte man einen Mann an einen massiven Metallstuhl gebunden. Er war nur durchschnittlich groß, aber kräftig gebaut, mit muskulösen Armen und Hals und der Nase eines Preisboxers. Sein Haar war schwarz und stoppelkurz, und sein Blick war gleichzeitig trüb und hellwach. Schweiß lief ihm über die Stirn, fand seinen Weg zwischen Blutergüssen und Schwellungen und an einem ekligen Schnitt oberhalb einer Braue vorbei. Immer wieder sackte sein Kopf nach vorn, als würde er einschlafen, bis sich die Fesseln spannten und er sich ruckartig wieder aufrichtete, um abermals mit leerem Blick die graue Wand anzustarren.

»Sie haben ihn ruhiggestellt«, sagte Kathryn Railly leise.

»Haben Sie mir überhaupt zugehört?« Franki boxte frustriert gegen die Wand. »Zwei meiner Leute sind im Krankenhaus! Ja, er ist gefesselt, und der Sanitäter hat ihm genug Stelazin gegeben, um ein Pferd umzubringen. Und schauen Sie ihn sich an! Der kann es kaum erwarten, wieder loszutoben!«

Kathryn seufzte. Der Mann sah eher aus, als würde er gleich ohnmächtig. Während sie ihn weiter beobachtete, wandte er langsam den Kopf, bis er sie direkt anstarrte. Er kniff die Augen ein wenig zusammen und sah sie wütend an. Kathryn spürte, wie sie unwillkürlich von dem Fenster zurückwich.

»Das erklärt wahrscheinlich die Blutergüsse, nehme ich an«, sagte sie. »Der Kampf.«

Franki seufzte. »Ja, ja. Wollen Sie reingehen? Ihn untersuchen?«

»Ja, bitte.« Sie warf einen Blick auf das Blatt Papier in ihrer Hand. »Mehr haben Sie nicht über ihn? Haben Sie ihn im Computer überprüft?«

»Und nicht gefunden.« Es klickte, als Franki die Tür aufschloß. »Kein Führerschein, keine Fingerabdrücke, keine Vorstrafen. Nichts. Ich sollte lieber mitkommen.«

Sie ging an ihm vorbei in die Zelle. »Danke, aber das wird nicht nötig sein.«

Franki sah sie an und nickte. »Also gut, aber ich bleibe hier draußen. Nur, um auf Nummer Sicher zu gehen.«

Sie ging auf den Mann zu, bewegte sich selbstsicher, aber

vorsichtig, vergaß keinen Augenblick die Tür hinter sich. »Mr. Cole?« sagte sie in warmem Tonfall. »Ich bin Dr. Railly –«

Der Blick, den er ihr zuwarf, war so unschuldig und friedlich wie der eines Kindes – oder eines Wahnsinnigen. Sie verspürte ein gewisses Unbehagen, und Detective Frankis Worte fielen ihr wieder ein. *Keine Drogen. Ist das zu glauben?* Sie räusperte sich und fuhr fort.

»Ich bin Psychiaterin, Mr. Cole. Ich arbeite für das Städtische Krankenhaus und nicht für die Polizei. Mich interessiert nur Ihr Wohlergehen. Können Sie mir sagen, was heute abend passiert ist?«

Der Mann starrte sie an, ohne zu blinzeln. »Ich muß gehen.« Er sprach leise, und seine Stimme hatte nichts Bedrohliches an sich, klang eher beruhigend, als wäre sie diejenige, um die man sich kümmern müsse. Kathryn legte den Kopf schief und nickte.

»Mr. Cole, ich werde Ihnen keine Lügen erzählen. Ich kann die Polizei nicht dazu bringen, Sie gehen zu lassen. Aber ich werde versuchen, Ihnen zu helfen – wenn Sie mitarbeiten. Werden Sie das tun, James?« Sie warf einen schnellen Blick auf das Blatt in ihrer Hand. »Darf ich Sie James nennen?«

»James!« schnaubte der Mann. »Niemand nennt mich mehr so.«

Kathryn runzelte die Stirn. »Sind Sie je hier in der Klinik gewesen? Sind wir uns schon mal begegnet?«

Er schüttelte den Kopf, und die Fesseln schnitten in die

wunde Haut an seinem Hals. »Nein, unmöglich.« Er klang jetzt lebhafter; sein Blick fuhr nervös zwischen Kathryn und der Tür mit dem Beobachtungsfenster hin und her. »Ich… Ich muß hier raus. Muß Informationen sammeln.«

Stimmungsschwankungen, Anspannung, vielleicht Paranoia, dachte Kathryn. Sie nickte zustimmend und fragte: »Was für Informationen?«

»Das hilft Ihnen nichts. Sie können nichts dagegen tun. Sie können nichts daran ändern.«

»Woran ändern?«

Cole hob die Stimme. »Ich muß gehen.«

Entschieden feindselig, geringe Frustrationstoleranz. Kathryn klatschte das zusammengerollte Blatt gegen ihre Handfläche. »Wissen Sie, wieso Sie hier sind, James?«

»Ja. Ich bin ein guter Beobachter – und psychisch stabil.«

»Aha. Sie erinnern sich nicht, einen Polizisten angegriffen zu haben? Sogar mehrere?«

»Sie wollten einen Ausweis«, sagte Cole. »Ich habe keinen. Ich wollte ihnen nicht weh tun.«

»Sie haben auch keinen Führerschein, James? Oder eine Sozialversicherungskarte?«

»Nein.«

Kathryn zögerte und registrierte, was sie für Nebenwirkungen des Stelazins hielt: Zuckungen im Gesicht und diese nervösen Blicke, die auf verminderte Sehfähigkeit hinweisen konnten. »Sie waren schon mal in einer Klinik, nicht wahr, James? Einem Krankenhaus?«

»Ich muß gehen.«

»Im Gefängnis? Zuchthaus?«

Cole seufzte resigniert. »Im Untergrund.«

»Haben Sie sich versteckt?«

Er sah sie an. Wieder wurde sein Blick sanft wie der eines Kindes. »Diese Luft ist wunderbar«, sagte er leise. Zum ersten Mal lächelte er. Er sah liebenswert aus, wenn er das tat – jungenhaft. »So wunderbare Luft.«

Kathryn versuchte es mit einem zögernden Lächeln als Erwiderung. »Was ist so wunderbar an der Luft, James?«

»Sie ist so sauber und frisch. Keine Bakterien.«

»Wieso glauben Sie, es seien Bakterien in der Luft, James?«

Er fuhr fort, als habe er sie nicht gehört. »Es ist Oktober, nicht wahr?«

Sie schüttelte den Kopf. »April.«

»April?«

»Was denken Sie, welches Jahr das hier ist, James?«

»1996.«

»Sie glauben, wir haben 1996?« fragte Kathryn mit gleichmütiger Stimme. *Verwirrt, hat vielleicht Halluzinationen.* »Das liegt in der Zukunft, James. Glauben Sie, wir leben in der Zukunft?«

Coles Miene spiegelte heftige Verwirrung. »Nein, 1996 liegt in der Vergangenheit.«

»1996 liegt in der Zukunft, James«, sagte sie ruhig. »Wir haben das Jahr 1990.«

Er sah sie an, zu verstört, um etwas sagen zu können.

Einen Augenblick sah Kathryn in diese unglaublich ausdrucksvollen Augen, deren Blick jetzt ungläubig wurde, verzweifelt. »Danke, James«, sagte sie schließlich, drehte sich um und ging schnell zur Tür. Detective Franki hielt sie ihr auf.

»Und?« fragte er.

»Er leidet eindeutig unter Wahnvorstellungen«, sagte sie und seufzte. »Vielleicht ist er sogar schizophren. Schwer zu sagen, wenn man nur sein Gesicht sieht und das auch noch blaugeschlagen ist.« Sie warf Frank einen kalten Blick zu. »Oh, ich weiß: ein potentieller Polizistenmörder mit einem psychotischen Schub. Aber es wäre entschieden einfacher für mich, wenn sie ihn nicht so vollgepumpt hätten, daß man keine gescheite Diagnose stellen kann.«

Franki verdrehte die Augen. »Schon gut, schon gut. Unterschreiben Sie nun oder nicht?«

»Selbstverständlich unterschreibe ich«, sagte sie kühl. Sie folgte ihm zu seinem Schreibtisch und füllte eine Reihe von Formularen aus. »Zweiundsiebzig Stunden Beobachtung, noch ein paar Drogentests. Wenn er wieder auf der Straße landet, hoffe ich, daß er sich aus Ihrem Revier fernhält.«

Franki lächelte. »Ich auch. Danke, Dr. Railly.«

Sie stand auf und ging zur Tür, strich sich eine Haarsträhne aus der Stirn. In der Tür blieb sie stehen. »Ach, und, Detective Franki – es ist schwierig, Situationen objektiv zu beurteilen, wenn man so überlastet ist wie Sie.«

Er schnaubte. »Ja, ich weiß, ich könnte verdammt gut Urlaub brauchen.«

»Ich dachte mehr an Prozac«, sagte sie zuckersüß. »Denken Sie mal darüber nach.« Und dann ging sie.

Cole blinzelte und starrte wie betäubt die gepolsterte graue Wand der Zelle an, das kleine Oval dicken Glases, hinter dem Schatten kamen und gingen. Der bittere Geschmack in seinem Mund war jetzt so stark, daß er fast würgen mußte. Er versuchte, sich auf etwas anderes als seine wachsende Übelkeit und das quälende Hämmern oberhalb seines linken Auges zu konzentrieren. War eine Frau hier gewesen und hatte ihm Fragen gestellt? Oder war das nur ein weiterer Alptraum gewesen, wie der mit den Wissenschaftlern? Er leckte sich die Lippen, schmeckte Blut und Galle, und dann blickte er hoch, als die Tür wieder aufging. Zwei mürrische Polizisten traten ein. Einer riß grob die Fesseln ab, mit denen Cole an den Stuhl gebunden war. Der andere kniete sich hin und ließ ein paar schwere Fußschellen um Coles Knöchel zuschnappen.

»Komm schon«, zischte er und riß Cole auf die Beine.

»Wo bringen Sie mich hin?« fragte Cole undeutlich, als sie ihn vorwärts zerrten.

Einer der Polizisten griff hinter ihn, um die Zwangsjacke fester zu zerren. »Nach Südfrankreich, Junge. In ein Nobelhotel. Es wird dir gefallen.«

Cole riß den Kopf zurück. »Südfrankreich! Ich will aber nicht nach Südfrankreich.« Er runzelte die Stirn, als Erinnerungsfetzen – oder war es ein Traum? – wiederkehrten. »Ich will… telefonieren.«

Der Polizist grinste höhnisch, als er ihn aus der Zelle führte. »Schnauze. Du hast vielleicht die Tussi mit deinem Theater eingewickelt, aber wir lassen uns nicht verarschen.«

Cole stolperte zwischen ihnen den Flur entlang, bis sie vor einer Metalltür stehenblieben. Einer der Polizisten steckte einen Schlüssel ins Schloß. Einen Augenblick später schwang die Tür auf. Cole blinzelte verwundert, als ihn das Morgenlicht wie ein Hammer traf, grell und blendend.

»Schick uns mal 'ne Postkarte, ja?« Der Polizist lachte, als er Cole in den wartenden Wagen schob.

»Ja«, höhnte der andere, der seinem Kollegen die Tür aufhielt. »Vergiß bloß nicht zu schreiben.«

Cole starrte ausdruckslos auf die Tür, die hinter ihm zufiel. Mit dröhnendem Motor setzte der Wagen sich in Bewegung.

Als der Transporter schließlich anhielt, kam jemand und nahm ihm die Fußfesseln ab. Ein weiterer Mann zerrte ihn, diesmal weniger grob, in ein weiteres häßliches Gebäude. Mehr graue Flure, noch ein weißgekachelter Raum. Zwei Männer zogen ihn aus, warfen die Zwangsjacke in eine Blechtonne und schoben Cole dann unter eine primitive Dusche. Er blieb gehorsam stehen, zuckte nur zusammen, als das heiße Wasser über sein geschundenes Gesicht lief. Einer der Pfleger drehte schließlich das Wasser wieder ab.

Der andere, ein breitschultriger Mann, auf dessen Namensschild BILLINGS stand, reichte Cole ein Handtuch.

»Komm her«, sagte er und drückte die Finger in Coles Haarstoppeln. »Laß mich mal deinen Kopf sehen, Jimbo, ob irgendwas drauf rumkrabbelt.«

Cole starrte das Handtuch an, dann Billings. »Ich muß telefonieren.«

»Das mußt du mit dem Doktor aushandeln, Jimbo.« Der Pfleger knetete Coles Stirn. »Du darfst nicht telefonieren, wenn der Doktor es nicht erlaubt.«

Coles Augen blitzten auf. »Es ist sehr wichtig.«

Billings trat ein wenig zurück, ließ die Hand aber an Coles Kopf. »Da kannste nix machen, Jimbo. Immer mit der Ruhe.« Er verstärkte den Druck seiner Finger, bis Coles Augen zu tränen begannen. »Wir werden schon zurechtkommen, wenn du nur ruhig bleibst.«

Cole blieb vor Schmerzen fast die Luft weg. Billings beobachtete ihn, zog schließlich die Hand zurück. »Schon besser«, sagte er lächelnd. »Und jetzt suchen wir dir ein paar Klamotten, Jimbo, und stellen dich deinen neuen Freunden vor.«

Sie zogen ihm braune Polyesterhosen und ein billiges Orlonhemd an. »Hübsch.« Billings grinste und zupfte an Coles Ärmel. »Und jetzt gehen wir mal runter ins Klubhaus, Jimbo.«

Er schlurfte durch einen langen, trübseligen Korridor, begegnete Leuten, die ebenso wie er in schlecht sitzende, billige Sachen gekleidet waren und die ihn stumpf ansahen.

Am Ende des Flurs klaffte eine Tür zu einem hellen Aufenthaltsraum hin auf.

»Da sind wir, Jimbo«, sagte Billings und schob Cole ins Zimmer.

Licht fiel durch vergitterte Fenster auf Linoleumfußboden. Ein Dutzend Männer und Frauen in billiger Polyesterkleidung oder schäbigen Bademänteln hielt sich hier auf; sie starrten mit leeren Blicken aus dem Fenster oder sahen sich auf einem hoch oben an der Wand angebrachten Fernseher einen grellen, lauten Trickfilm an. In einer Ecke schob eine Frau ziellos Puzzlestücke auf einem Tisch herum. Aber Cole sah nur das Licht – helles Sonnenlicht, das wie goldener Sirup durch die Fenster strömte.

»He, Goines!« Billings winkte einen jungen Mann in einem karierten Hemd heran, der am Fenster gestanden hatte. »He, Jeffrey, komm mal her –«

Der Mann namens Jeffrey Goines kam auf sie zu. Billings packte Cole an der Schulter und sagte: »Goines, das hier ist James. Führ ihn doch mal ein bißchen rum. Erklär ihm die Fernsehregeln, zeig ihm die Spiele und so, ja?«

Goines wiegte sich auf den Hacken vor- und zurück. »Und wieviel zahlst du mir dafür, hä? Immerhin mache ich deine Arbeit.«

Billings grinste. »Fünftausend Dollar, Mann. Reicht das? Ich überweise es auf dein Konto, wie üblich.«

Goines biß sich nachdenklich auf die Lippe. »Na gut, Billings. Fünftausend. Das genügt. Fünftausend Dollar. Dafür kriegt er eine Luxusführung durchs Irrenhaus.«

Billings ging kichernd davon, und Jeffrey wandte sich Cole zu und sagte verschwörerisch: »Immer Witze machen. Das mögen sie, das gibt ihnen das Gefühl, daß wir alle Kumpel sind. Wir sind die Gefangenen und sie sind die Wärter, aber das sehen wir alles ganz locker.«

Cole starrte diesen seltsamen jungen Mann verdutzt an. Goines hatte dunkles Haar und blaue Augen und wirkte ungefähr so störrisch wie ein Golden Retriever. Verglichen mit all den anderen Patienten mit ihrem trüben, starren Blick und den ausdruckslosen Zügen machte er den Eindruck eines dynamischen jungen Assistenzarztes, wenn nicht dieser verstohlene Ausdruck in seinen tiefliegenden Augen gewesen wäre.

»Komm schon«, sagte Jeffrey. Cole nickte und folgte ihm zu den Tischen am Fenster. »Hier sind die Spiele«, verkündete Jeffrey verächtlich und schnippte gegen die Kante einer Monopolyschachtel. »Sie verblöden dich nur. Dich darauf einzulassen ist, als würdest du freiwillig Beruhigungsmittel nehmen.«

Cole schwieg, wandte den Kopf und betrachtete ein halbfertiges Puzzle, auf dem ein Löwe, Schafe, Vögel und gelangweilt wirkende Wölfe alle zusammen unter einem Baum hockten. Eine Pflegerin half geduldig einem Mann, dessen Hände schrecklich zitterten, zwei weitere Stücke hinzuzufügen. DAS FRIEDLICHE KÖNIGREICH, stand auf der Schachtel.

»Ich nehme an, sie haben dich ›ruhiggestellt‹, wie?« fragte Jeffrey und warf ihm einen Seitenblick zu. »Was ha-

41

ben sie dir gegeben? Haldol? Thorazin?« Cole starrte ihn mit leerem Blick an. »Nein? Oder Meprobamat? Wieviel? Du mußt doch wissen, was du geschluckt hast!«

»Ich muß telefonieren.«

Jeffrey lachte laut. »Telefonieren? Das wäre Kommunikation mit der Außenwelt! Das zu entscheiden, liegt in der Macht der Ärzte. He, wenn alle Bekloppten hier einfach telefonieren könnten, würde es sich vielleicht ausbreiten! Wahnsinn, der durch Telefonkabel dringt und in die Ohren all dieser armen Gesunden tröpfelt und sie infiziert! Überall Spinner! Eine Seuche!«

Plötzlich senkte Jeffrey die Stimme. »Tatsächlich sind nur die wenigsten von uns hier geisteskrank«, flüsterte er geheimnisvoll und schob sein Gesicht dicht an Coles heran. »Ich will damit gar nicht sagen, daß du es nicht bist – kann sein, daß du vollkommen durchgeknallt bist. Aber deshalb bist du nicht hier. Du bist wegen des Systems hier.« Er zeigte auf den Fernseher. »Nimm zum Beispiel den Fernseher. Der ist erlaubt. Werbespots. Wir sind nicht mehr produktiv, wir werden nicht mehr gebraucht, um irgendwas herzustellen, alles ist automatisiert. Wofür sind wir also noch gut?«

Jeffrey Goines trat einen Schritt zurück und sah Cole erwartungsvoll an. Als Cole schwieg, fuchtelte er mit dem Zeigefinger vor seiner Nase herum.

»Wir sind Konsumenten!« schrie er triumphierend. »Also, wenn du viel Zeug kaufst, bist du ein guter Staatsbürger. Aber wenn du das nicht tust, weißt du, was dann passiert? Dann erklären sie dich für geisteskrank! Genauso ist es! Wenn man nicht konsumiert – Klopapier, neue Autos, computerisierte Küchenmixer, elektrisch betriebene kleine Hilfen fürs Sexualleben –«

Seine Stimme wurde schriller, bekam etwas Hysterisches. »– SCHRAUBENZIEHER MIT EINGEBAUTEM MINIRADAR, STEREOANLAGEN MIT KOPFHÖRERN, DIE MAN SICH GLEICH INS HIRN IMPLANTIEREN KANN, STIMMAKTIVIERTE COMPUTER –«

»Jeffrey.« Die Pflegerin am Puzzletisch blickte auf und schüttete den Kopf. »Immer mit der Ruhe, Jeffrey. Beruhige dich.«

Jeffrey klappte den Mund zu. Er schloß einen Moment lang die Augen, holte tief Luft und fuhr dann mit vollkommen ruhiger Stimme fort.

»Wenn du eine bestimmte Sendung sehen willst«, sagte er und ignorierte, daß Cole wie gebannt auf den Bildschirm starrte, »eine Vorabendserie oder so, dann gehst du zur Stationsschwester und sagst ihr, an welchem Tag und um welche Zeit die Sendung läuft. Aber du mußt es ihr sagen, bevor die betreffende Sendung ausgestrahlt wird. Wir hatten hier mal einen, der immer Sachen sehen wollte, die SCHON GELAUFEN WAREN.«

Cole zuckte zusammen, als Jeffrey wieder in Fahrt kam.

»Er hat einfach nicht begriffen, DASS DIE STATIONSSCHWESTER NICHT DAFÜR SORGEN KONNTE, DASS WIEDER GESTERN IST – *DIE ZEIT ZURÜCKDREHEN!* ER WAR VERRÜCKT! VOLLKOMMEN DURCHGEKNALLT –«

»Okay, das reicht, Jeffrey«, sagte die Pflegerin gereizt. »Du kriegst jetzt einen Schuß. Ich habe dich gewarnt –«

Wie durch ein Wunder beruhigte sich Jeffrey wieder, lächelte die Frau sanftmütig an und nickte. »Richtig! Richtig!« Er lachte vergnügt. »Ich hab mich hinreißen lassen! Ich wollte ihm genau erklären, wie es hier funktioniert, in diesem... Etablissement.«

Cole starrte ihn an, verwundert über die schnelle Wandlung. In diesem Augenblick tippte ihm jemand auf die Schulter. Cole drehte sich um und sah einen ernst dreinschauenden Schwarzen vor sich, tadellos gekleidet in einen dunklen Anzug und ein weißes Hemd mit der passenden elegant dezenten Krawatte.

»Ich komme nicht wirklich aus dem Weltraum«, stellte der Mann sich vor.

Jeffrey warf Cole einen Seitenblick zu. »Das hier ist L. J. Washington, Jim. Er kommt nicht wirklich aus dem Weltraum.«

L. J. Washington warf Goines einen gekränkten Blick zu. »Spotte nicht über mich, mein Freund«, sagte er und sprach dann wieder Cole an. »Es ist ein Zustand, den sie als ›psychisch divergierend‹ bezeichnen. Ich befinde mich plötzlich auf dem Planeten Ogo, bin dort Angehöriger der intellektuellen Oberschicht, die sich bereit macht, barbarische Horden auf dem Pluto zu bekriegen. Aber obwohl es sich vollkommen überzeugend anfühlt – ich kann fühlen, atmen, hören – ist Ogo trotzdem ein Produkt meines Geistes. Ich bin psychisch divergierend, indem ich bestimmten unbewältigten Tatsachen entfliehe, die mein Leben hier unerträglich machen. Wenn ich aufhöre, das zu tun, wird es mir wieder gutgehen.«

Cole starrte den Mann an, sein würdevolles Gesicht, die sorgfältig geknotete Krawatte und den schicken, auf Alligator getrimmten Gürtel. Als sich sein Blick noch weiter senkte, bemerkte er zum ersten Mal, daß L. J. Washington ein paar riesige flauschige orangefarbene Pantoffeln trug.

»Und du, mein Freund?« Wieder berührte der Mann Cole sanft an der Schulter und sah ihm unendlich besorgt in die Augen. »Bist du vielleicht auch divergierend?«

Bevor er antworten konnte, ragte die muskulöse Gestalt von Billings hinter ihnen auf. »He, Jimbo – Zeit für eine Konferenz.« Der Pfleger legte Cole eine riesige Hand auf die Schulter und führte ihn zur Tür. »Verabschiede dich von deinen Freunden. Wir werden sie bald wiedersehen…«

»Konferenz?« fragte Cole und warf L. J. Washington über die Schulter noch einen Blick zu.

»Genau. Psychiatrische Untersuchung – das Übliche, kein Grund zur Beunruhigung«, meinte Billings tröstend. »Da lang…«

Cole folgte ihm. Der Kopf tat ihm weh. Sein Mund war vollkommen ausgetrocknet, der beißende Geschmack war jetzt stärker, und er wußte, es mußte etwas mit den Medikamenten zu tun haben, die sie ihm am Tag zuvor gegeben hatten. Als er den Gang entlangstapfte, konnte er hinter den geschlossenen Türen Stimmen hören: Jammern und Lachen, und einmal ein nervöses Kichern. Er kam an einem Zimmer vorbei, wo Augen aus dem Dunkel eines Krankenhausbettes glitzerten und jemand etwas flüsterte, was er nicht verstehen konnte. Cole blinzelte, das Pochen hinter den Augen machte ihn beinahe blind, und er starrte seine Füße an, die in billigen Stoffturnschuhen steckten und wie automatisch über den Linoleumboden trabten.

»Hier sind wir –«

Er mußte abrupt stehenbleiben, als Billings an seinem Arm zerrte. »Da lang, Jimbo. Der Doktor wartet schon.«

Eine Metalltür öffnete sich, und dahinter befand sich ein langgezogener, hell erleuchteter Raum. In der Mitte des Zimmers saßen vier Männer und Frauen um einen ramponierten Besprechungstisch, auf dem zwischen Akten Kaffeebecher herumstanden. An den Wänden hingen Zeitungsausschnitte, ein Stundenplan für Freizeitaktivitäten und ein Informationsblatt des Fachbereichs Medizin der Universität Tulane. Auf einem schwarzen Brett waren diverse Zettel angebracht, die die Termine für Selbsthilfegruppen ankündigten: »EIN TAG NACH DEM ANDEREN! NUR ZWÖLF SCHRITTE ZU EINEM NEUEN LEBEN.«

»Hier ist er, Dr. Fletcher«, verkündete Billings. »James Cole.«

Der Mann am Kopf des Tisches nickte dem Pfleger zu. Selbst im Haus trug er eine dunkle Brille, so daß sein Blick nicht einzuschätzen war. »Danke. Also, Mr. Cole« – er deutete auf einen leeren Stuhl – »bitte, setzen Sie sich.«

Cole blieb stehen, und Fletcher fuhr fort. »Ich stelle Ihnen erst mal meine Kollegen vor: Dr. Goodin, Dr. Casey, und ich glaube, Dr. Railly kennen Sie schon...«

Einen Augenblick lang trafen sich Coles Blick und der der Ärztin. Ihre Miene war kühl, beinahe eisig professionell, aber in ihrem Blick lag eine Spur Wärme. »Das hier ist ein Irrenhaus. Ich bin nicht verrückt.«

Dr. Casey runzelte die Stirn. »Wir benutzen den Begriff ›verrückt‹ hier nicht, Mr. Cole.«

Cole hob die Stimme. Hinter ihm verschränkte Billings die Arme und beobachtete ihn mit wissendem Blick. »Sie haben hier aber ein paar ausgesprochene Spinner. Und jetzt hören Sie mir mal zu! Ich weiß Dinge, die Sie nicht wissen. Es wird Ihnen schwerfallen, mich zu verstehen, aber –«

»Mr. Cole«, unterbrach Dr. Fletcher ihn. »Gestern abend sagten Sie Dr. Railly, Sie glaubten, wir hätten...«

Er nahm einen Bleistift vom Tisch und warf einen kurzen Blick auf eine Akte, die vor ihm lag. »...das Jahr 1996. Er wandte sich wieder Cole zu. »Wie sieht es heute aus? Wissen Sie, welches Jahr wir haben?«

»1990«, fauchte Cole und starrte auf den Tisch. »Hören Sie, ich bin nicht durcheinander. Es ist offenbar was schiefgelaufen, man hat mich an den falschen Ort geschickt –«

Er machte einen Schritt nach vorn, griff nach Dr. Fletchers Bleistift. Als sich seine Finger darum schlossen, packte Billings' riesige Hand die seine.

»He!« rief Cole. Er blickte auf, sah Billings' unerbittliches Gesicht – der würde ihm nicht helfen –, wand sich und

47

warf Dr. Railly einen flehenden Blick zu. »Sagen Sie ihm, daß ich niemandem weh tun werde.«

»James, bitte.« Kathryn Railly drehte sich um und wandte sich ihm zu. »Das hier sind alles Ärzte – wir wollen Ihnen helfen.«

Owen Fletcher, der neben ihr saß, nickte. Er rückte seine dunkle Brille zurecht, sah auf den Bleistift in Coles Hand und nickte Billings zu. Der Pfleger ließ Coles Handgelenk los. Cole griff schnell nach einem Notizblock und begann zu zeichnen.

»Hat hier schon mal jemand von der Armee der zwölf Affen gehört?« Cole hielt das Papier hoch, auf dem jetzt ein ungeschickt gezeichneter tanzender Affe zu sehen war. »Sie zeichnen dieses Symbol, sprühen es mit Schablonen überall hin.« Aufgeregt fuchtelte er mit dem Blatt herum und hielt es so, daß der erste Arzt und dann auch die anderen es sehen konnten.

»Mr. Cole...« murmelte Dr. Casey und schüttelte den Kopf.

»Also gut.« Cole starrte das Blatt deprimiert an, knüllte es zusammen und warf es zu Boden. »Das war zu befürchten. Wenn wir erst 1990 haben, sind sie vermutlich noch nicht aktiv geworden. Das ist nur logisch.« Billings beobachtete Cole mißtrauisch, als dieser anfing, auf und ab zu gehen.

»Also gut – hören Sie mir zu. 1996 und 1997 sind fünf Milliarden Menschen gestorben. *Fünf Milliarden.*« Cole fuhr sich über den Stoppelkopf, erhob dann den Zeigefinger. »Haben Sie das kapiert? Fast die gesamte Weltbevölkerung! Nur etwa ein Prozent von uns haben überlebt.«

Er hielt inne, sah, wie die Ärzte wissende Blicke wechselten.

»Und Sie wollen uns retten, Mr. Cole?« fragte Dr. Goodin.

Cole ballte frustriert die Fäuste. »Sie retten? Wie kann ich Sie retten? Es ist schon passiert! Ich kann Sie nicht retten. Das kann niemand. Ich versuche nur, ein paar Informationen zu bekommen, um den Leuten in der Gegenwart helfen zu können, damit sie –«

»In der Gegenwart?« unterbrach ihn Dr. Casey sanft. »Wir sind jetzt nicht in der Gegenwart, Mr. Cole?«

»Nein, nein, das hier ist die Vergangenheit.« Cole schien mit seiner Geduld am Ende. »Es ist alles schon passiert. Hören Sie –«

Dr. Goodin zog eine Braue hoch. »Mr. Cole, Sie glauben also, 1996 sei ›die Gegenwart‹, ja?«

»Nein, 1996 ist auch Vergangenheit. Also…« Cole hielt inne und starrte sie alle nacheinander an. In ihren Augen lag nichts als kühle Distanz und vielleicht auch Mitgefühl.

»Sie glauben mir nicht«, sagte er schließlich. Trotz der Blutergüsse in seinem Gesicht konnte man sehen, wie er rot anlief. »Sie halten mich für verrückt, aber ich bin nicht verrückt. Ich war im Knast, na gut, ich bin ziemlich aufbrausend, aber ich bin so gesund wie jeder andere in diesem Raum auch. Ich…«

Tap. Ein leises Geräusch, das ihn ablenkte. *Tap, tap, tap.*

Cole sah sich um, spürte ein leichtes Kribbeln im Nacken, fühlte sich immer unbehaglicher.

Tap, tap...

Dieses Geräusch, wann hatte er das schon einmal gehört?

»Können Sie uns sagen, in welchem Gefängnis Sie waren?« fragte Kathryn Railly leise.

Tap. Cole spürte, wie ihm auf Gesicht und Brust der Schweiß ausbrach. *Tap, tap.* Er schaute nach unten, begegnete einem kühlen Blick hinter dunklen Gläsern, sah den Bleistift in Fletchers Hand. *Tap.*

Der Bleistift. Erinnerungen kamen wieder hoch. Der Mikrobiologe im Lager – auch er hatte eine solche Brille getragen. Oder? Oder war das ein anderer Arzt gewesen? Ein Polizist? Mit eisiger Stimme hatte er gefragt: *Wieso haben Sie sich freiwillig gemeldet?*

»Stört Sie das, Mr. Cole?«

Cole zuckte zusammen, als Dr. Fletchers Stimme erklang. Der Arzt hielt einen gelben Bleistift zwischen langen, blassen Fingern. »Es ist nur ein Stift«, sagte Fletcher. Er lächelte entwaffnend. »Eine kleine nervöse Angewohnheit, das ist alles...«

Cole schüttelte den Kopf, versuchte, das Bild des anderen Mannes, des anderen Raums, aus seinen Gedanken zu verdrängen. »Nein!« Er holte tief Luft, zwang sich, ruhig zu bleiben. »Hören Sie, ich gehöre nicht hierher. Ich muß unbedingt telefonieren, um alles wieder in Ordnung zu bringen.«

Fletcher nickte, unendlich geduldig. »Wen möchten Sie denn anrufen, um alles in Ordnung zu bringen?«

»Wissenschaftler. Sie müssen erfahren, daß sie mich in die falsche Zeit geschickt haben. Ich kann eine Nachricht für sie hinterlassen. Sie überwachen das von der Gegenwart aus.«

Fletcher legte den Kopf schief. »Diese Wissenschaftler, Mr. Cole. Sind das Ärzte wie wir?«

Gemurmel, als die anderen Blicke wechselten.

»Nein!« rief Cole verwirrt. »Ich meine, ja, doch… Bitte – nur ein Gespräch!«

Verzweifelt sah er Dr. Railly an, bohrte seinen flehenden Blick in ihren. Sie nickte wortlos. Dr. Goodin reichte Cole ein Telefon. Cole wählte die Nummer und hielt den Hörer ans Ohr. Die Ärzte sahen zu.

Brring. Brring.

Cole schluckte, sein Mund war trocken. Eine Frauenstimme erklang. »Hallo?«

»Äh, ja –« er drehte sich um, damit er nicht mehr sah, wie die anderen ihn anstarrten. »Äh, hier ist James Cole. Ich muß eine Nachricht hinterlassen, für, äh –«

»Was? Soll das ein Witz sein? James wer?«

Er stotterte. »C – Cole. James Cole –«

»Nie von Ihnen gehört!«

Klick.

Verzweifelt starrte er den Hörer an. Mitleidig streckte Dr. Railly die Hand aus und legte auf. Die anderen starrten ihn weiter an.

»Hatten Sie das nicht erwartet?« fragte sie leise.

»Es war eine Frau. Sie wußte von nichts.«

»Vielleicht haben Sie die falsche Nummer gewählt…?«

»Nein.« Cole schüttelte wie betäubt den Kopf. »Deshalb bin ich ja auch ausgesucht worden. Ich kann mir solche Sachen gut merken.«

Dr. Railly starrte ihn an und runzelte plötzlich die Stirn. »James, wo sind Sie aufgewachsen? War es in dieser Gegend? In Baltimore?«

»Was?« erwiderte Cole abwesend. Dr. Raillys Kollegen warfen ihr neugierige Seitenblicke zu. Fletcher kniff die Augen ein wenig zusammen, und der Bleistift in seinen Fingern bebte. Wieso legte sie für diesen Patienten ein besonderes Interesse an den Tag?

Kathryn Railly schüttelte langsam den Kopf. Ihre Stirn glättete sich wieder; sie sah Cole immer noch an, aber es war, als sähe sie jemand anderes, nicht diesen Mann in braunen Polyesterhosen, abgetragenen weißen Turnschuhen und mit einem Identitätsarmband aus Plastik. »Ich habe das Gefühl, wir sind uns schon einmal begegnet, vielleicht schon vor langer Zeit. Waren Sie je in –«

Tap. »Dr. Railly!« sagte Fletcher. Der Bleistift tänzelte gefährlich nahe an der Tischkante. »Dr. –«

»Warten Sie!« unterbrach Cole ihn aufgeregt. »Wir haben ja erst 1990!« Seine Augen blitzten, als er fortfuhr. »Ich soll die Nachrichten 1996 hinterlassen. Es ist einfach noch nicht die richtige Nummer – das ist das Problem. Verdammt! Wie kann ich nur mit ihnen Kontakt aufnehmen?«

Fletcher starrte Dr. Railly forschend an, eine Braue hochgezogen. Die Ärztin wurde rot. Dann faßte sie sich wieder, stand auf, ging zu einem kleinen Schrank, schloß ihn auf und holte ein Fläschchen heraus. »Hier«, sagte sie, wandte sich Cole zu und kippte ein paar Pillen in ihre Hand. Ihr Tonfall war kühl. »James, ich möchte, daß Sie die hier nehmen.«

Er starrte sie an, hin- und hergerissen zwischen Unglauben und Wut.

»Bitte«, sagte sie. Hinter ihr erhoben sich die anderen Ärzte, suchten ihre Siebensachen zusammen. »Wir haben Sie den Anruf machen lassen. Aber jetzt, James –«

In ihrer ausgestreckten Hand glitzerten drei rotweiße Kapseln. Direkt hinter sich konnte er Billings hören, der ungeduldig wartete.

»James«, wiederholte sie, und ihre Stimme war nicht mehr freundlich. »Ich möchte, daß Sie mir vertrauen.«

Er ist wieder in der Flughafenhalle. Der Himmel draußen ist bleiern, bedrohlich. Fliegen summen hilflos gegen das Aussichtsfenster, an dem er mit seinen Eltern steht und hinaus zu einem Flugzeug schaut, das gerade gelandet ist. Er denkt, daß er noch nie etwas so Schönes gesehen hat, die pfeilförmigen Flügel und der schlanke, weiße Rumpf, die glatt auf den Asphalt niedergehen.

»Letzter Aufruf für Flug 784. Bitte begeben Sie sich zu Gate...«

Er will gerade seinen Vater fragen, ob dies das Flugzeug

ist, das sie nehmen werden, als plötzlich jemand hinter ihm aufschreit. Er dreht sich um und sieht einen Mann mit Zopf in buntkarierten Hosen eilig vorbeirennen. Der Mann schaut über die Schulter zurück. Er sieht den Jungen nicht, und als seine Reisetasche in Coles Bauch kracht, schaut er nur kurz nach unten und schreit: *»Paß doch auf!«*

Cole zuckt zusammen. Er kennt diese Stimme – aber bevor er etwas sagen kann, hört er eine Frau schreien: »Neeeiiiin!«

Der Mann mit dem Zopf ist weg. Ein anderer kommt um die Ecke gerannt – ein blonder Mann in einem Hawaii-hemd, die Augen weit aufgerissen, rennt auf das Tor zu. Als er an Cole vorbeikommt, dreht er sich um, und der Junge kann sehen, wie sein Gesicht auseinanderfällt: Er hat den Mund verzogen, und der Schnurrbart hängt nur noch lose an der Oberlippe. Cole schnappt nach Luft, aber dann donnert ein Schuß durch die Halle und grellweißes Licht blendet ihn.

»Was –«

Röchelnd erwachte er. Ein paar Schritte entfernt hing das Licht einer Taschenlampe in der Luft wie ein Kugelblitz und bewegte sich dann langsam weiter. Verwirrt tastete Cole nach dem Bettzeug: Laken, glatt und sauber, wenn auch ein wenig verknittert, nicht die schmutzigen Lumpen auf dem Boden seiner Zelle unter der Erde. Aber überall um sich herum hörte er Schnarchen und leises Atmen, hin und wieder ein Stöhnen – hatte man ihn in einen anderen

Teil des Lagers verlegt? In diesem Augenblick erklang eine leise Stimme – die einer Frau. Langsam drehte er sich um, vorsichtig bedacht, kein Geräusch zu machen, und spähte ins Dunkel, bis er zwei Gestalten ausmachen konnte. Eine Schwester und ein Pfleger, beide in weißen Uniformen, gingen von Bett zu Bett, überprüften im Licht der Taschenlampe die Schlafenden.

Also kein Gefängnis, jedenfalls nicht *dieses.* Cole sah weiter zu, wie der Lichtkegel von einer Bettenreihe zur anderen hüpfte, bis die beiden Gestalten den Schlafsaal verließen und leise die Tür hinter sich schlossen.

Es war dunkel und still, wenn man von dem gelegentlichen Murmeln eines Schlafenden absah. Cole richtete den Blick auf ein vergittertes Fenster am anderen Ende des Saals. Bleiche Strahlen von Mondlicht fielen auf den Fußboden, schufen dort ein abstraktes Muster aus Streifen und Rechtecken. Lange Zeit starrte Cole es an, dann blickte er sich schnell um. Ohne einen Laut glitt er aus dem Bett, schlich sich an den anderen vorbei und gelangte schließlich zum Fenster. Er spähte nach draußen.

Silbernes Mondlicht fiel durch die Blätter einer einzelnen Eiche. Unter dem Baum stand ein Paar und umarmte sich. Das Mondlicht glitzerte auf dem Haar der Frau und dem Arm des Mannes. Cole starrte sie fasziniert an, fuhr mit den Fingerspitzen über das Metallgitter.

»Hat keinen Zweck. Es geht nicht auf.«

Cole fuhr herum und sah, daß jemand in dem Bett direkt am Fenster aufrecht saß. Es war Jeffrey Goines.

»Du kannst das Gitter nicht abnehmen«, fuhr Jeffrey sachlich fort. »Es ist festgeschweißt.«

Cole wandte sich wieder dem Gitter zu und zog probeweise daran. Im Mondlicht glitzerten Jeffreys Zähne, als er grinste.

»Siehste? Hab ich dir doch gesagt.« Mit einer Geste umfaßte er den ganzen Schlafsaal. »Und die Türen sind auch alle abgeschlossen. Sie schützen die Leute da draußen vor uns. Aber die da draußen sind genauso verrückt wie wir…«

Jeffrey plapperte weiter, während Cole die Fensterbank anstarrte. Eine kleine Spinne kletterte über die abblätternde Farbe und hielt hier und da inne, als wüßte sie, daß sie beobachtet wurde. Cole starrte sie fasziniert an und griff automatisch nach dem Sammelbehälter an seinem Gürtel.

»Scheiße«, sagte Jeffrey plötzlich. Hinter ihnen ertönte ein Klicken. Nervös griff sich Cole die Spinne, huschte wieder zu seinem Bett und warf sich die Decken gerade noch rechtzeitig über, bevor die Tür aufging und ein Pfleger hereinspähte. Der Lichtschein einer Taschenlampe durchschnitt die Dunkelheit, ruhte einen Augenblick auf Coles Gesicht, auf seinen geschlossenen Augen, dem leicht geöffneten Mund. In der Hand konnte Cole die Spinne spüren, die zappelte, um freizukommen. Einen Augenblick später ging das Licht aus. Die Tür schloß sich wieder. Alles war still, bis Cole Jeffreys heiseres Flüstern hörte.

»Weißt du, was ›verrückt‹ ist?« fuhr Jeffrey fort, als wäre

nichts geschehen. »›Verrückt‹ bedeutet einfach nur, der Mehrheitsmeinung zu widersprechen.«

Cole setzte sich auf, aber er hörte kaum zu, spähte nur in seine Faust, um die Spinne zu sehen. Jeffrey holte tief Luft und verkündete: »Nimm zum Beispiel so was wie Bakterien.«

»Bakterien?« Cole warf ihm einen Blick zu. Die Spinne kratzte wild an seiner Handfläche.

Jeffrey nickte. »Bakterien«, wiederholte er ernsthaft. »Im achtzehnten Jahrhundert gab es so was nicht. Niemand hätte es sich je vorstellen können – jedenfalls kein geistig Gesunder. Und dann kommt dieser Arzt – Semmelweiss hieß er, glaube ich. Er versucht, die Leute davon zu überzeugen – vor allem die anderen Ärzte – daß es diese kleinen, unsichtbaren bösen Dinger gibt, genannt Bakterien, die in deinen Körper gelangen und dich krank machen! Er versucht, die Ärzte dazu zu bringen, sich die Hände zu waschen.«

Jeffrey beugte sich plötzlich vor, mit einem anzüglichen Grinsen, die Augen weit aufgerissen, und tat vollkommen verblüfft. »›Was will der Kerl?‹« sagte er mit einer albern hohen Stimme. »›Spinnt der? Winzigkleine unsichtbare – wie hat er sie genannt – Bakterien?‹«

Jeffrey kicherte. Cole sah ihn an, wandte sich dann wieder seiner Hand zu und überlegte, was er mit der Spinne machen sollte. Jeffrey ignorierte das und fuhr fort.

»Schnitt ins zwanzigste Jahrhundert. Genauer gesagt zur vergangenen Woche, bevor sie mich in dieses Höllenloch hier geschleppt haben. Ich stehe in einem Schnellimbiß und bestelle einen Hamburger. Der Kerl hinter der Theke läßt ihn auf den Boden fallen. Dann hebt er ihn wieder auf, wischt mal kurz drüber und reicht ihn mir – als wäre alles in Ordnung...«

Cole nickte zerstreut und hielt sich die Hand vors Gesicht. Jeffrey boxte wütend gegen die Matratze und zischte: »›Was ist mit den Bakterien?‹ fragte ich. Und er sagt: ›Ich glaube nicht an Bakterien. Das ist doch nur ein Trick, damit wir mehr Desinfektionsmittel und Seife kaufen.‹« Jeffrey grölte triumphierend. »Na, und wer ist jetzt der Verrückte?«

Plötzlich drehte er sich um und starrte Cole mit großen Augen an. »He, du glaubst doch an Bakterien, oder?«

Cole starrte zurück, die Hand immer noch vorm Gesicht. Unter Jeffreys fragendem Blick warf er sich die Spinne in den Mund und schluckte sie.

»Ich bin nicht verrückt«, meinte er einen Augenblick später.

Jeffrey nickte sachlich. »Natürlich nicht. Das hätte ich auch nicht angenommen.« Er nickte zu dem Fenster hinüber. »Du wolltest raus, oder? Das weist auf geistige Gesundheit hin.« Er senkte die Stimme zu einem verschwörerischen Flüstern. »Ich kann dir helfen«, sagte er; seine blauen Augen glitzerten. »Das willst du doch, oder? Hier abhauen?«

Cole schüttelte den Kopf. »Wenn du weißt, wie man rauskommt, wieso –«

Jeffrey richtete sich noch weiter auf. »Wieso ich nicht selbst abhaue? Wolltest du das fragen?« Er lachte, als wäre Cole ein Kind, das etwas Kluges gesagt hat. »Weil ich verrückt wäre! Ich habe mich schon um alles gekümmert. Ich habe sie informiert.«

Cole runzelte die Stirn. »Wie meinst du das?«

»Ich meine, daß ich Kontakt mit bestimmten Untergebenen aufgenommen habe, mit bösen Geistern, den Sekretären von Sekretären und sonstigen Speichelleckern, und die werden es meinem Vater sagen.« Jeffrey hob die Stimme, sein Blick bohrte sich regelrecht in Coles Gesicht. »Wenn er erfährt, daß ich an einem solchen Ort bin, wird er mich in einen dieser luxuriösen Läden bringen lassen, wo man einen anständig behandelt. *Wie einen Gast! Wie einen Menschen!*«

Cole sah sich nervös um und rutschte ein Stück von Jeffrey weg.

»*Laken!*« schrie Jeffrey ungeachtet der anderen Patienten im Zimmer, die langsam erwachten. »*Handtücher! Wie ein großes Hotel mit phantastischen Drogen für die armen übergeschnappten manischen Teufel —*«

Cole sah sich um. Überall setzten sich Leute in ihren Betten auf. Ein Paar begannen zu wimmern. Die meisten beobachteten Jeffrey mit demselben stumpfen Interesse, das sie gegenüber dem Fernseher an den Tag legten.

»*So ist es! Wenn mein Vater rausfindet —*«

Mit einem lauten Knall flog die Tür auf. Patienten eilten wieder zu ihren Betten, als die Nachtschwester und zwei kräftig gebaute Pfleger in den Schlafsaal stürzten.

»Okay, das reicht jetzt, Jeffrey«, rief ein Pfleger. Zu spät versuchte Jeffrey, sich zu beruhigen.

»Tut mir leid, tut mir ehrlich leid«, verkündete er und holte tief Luft. »Ich weiß – ich hab mich ein bißchen aufgeregt. Der Gedanke, zu fliehen, schoß mir durch den Kopf, und plötzlich –«

Die Pfleger packten ihn, jeder an einem Arm, während die Schwester eine Spritze zückte.

»– plötzlich hatte ich das Bedürfnis, *dieses Scheißgitter aufzubiegen, den verfluchten Fensterrahmen rauszureißen und – ihn aufzufressen! Ja, genau, auffressen! Und dann springen, springen –*«

Cole sah fasziniert und entsetzt zu, als die Schwester Jeffrey die Spritze gab und die Pfleger begannen, ihn aus dem Schlafsaal zu zerren.

»Ihr blöden Ärsche!« kreischte Jeffrey und versuchte vergeblich, sie abzuschütteln. »Ich bin Patient in einem Irrenhaus! Man *erwartet* von mir, daß ich durchdrehe! Wartet, bis ihr Idioten erfahrt, wer ich bin! Mein Vater wird wirklich sehr, sehr wütend sein. *Und wenn mein Vater wütend wird, dann bebt die Erde! Mein Vater ist Gott! Ich bete meinen Vater an!*«

Die Tür fiel ins Schloß. Minutenlang konnte man Jeffrey noch draußen schreien hören, dann kehrte wieder Stille ein. Cole schluckte und sah sich um; sein Herz klopfte heftig.

Es war ruhig im Schlafsaal. Im Fenster hing der Mond, durchkreuzt von schwarzen und grauen Gitterstäben. Aus den anderen Betten war leises Atmen zu hören, leises Murmeln, während die Patienten wieder einschliefen. Nur in einem Bett nahe dem Fenster saß noch jemand aufrecht und starrte mitleidig die verschlossene Tür des Schlafsaals an.

»Siehst du, er ist auch psychisch divergierend«, sagte L. J. Washington und drehte sich zu Cole um. »Aber er kann es nicht akzeptieren.« Er hob eine Hand und machte eine anmutige Geste zu Cole, als wolle er ihn segnen, und fügte hinzu: »Es ist besser, wenn man es akzeptiert, mein Freund. Erheblich besser.« Und mit einem friedlichen Lächeln legte sich L. J. Washington wieder hin und schlief ein.

Am nächsten Morgen frühstückte Cole zusammen mit den anderen Patienten im Speiseraum der geschlossenen Abteilung, kaltes Rührei und feuchten Toast, unter den kühlen Blicken von Billings und einem anderen Pfleger. Eine Schwester machte die Runde und gab Medikamente aus. Als sie zu Cole kam, warf sie einen Blick auf ihr Klemmbrett, runzelte die Stirn und ging dann zu der Frau, die neben ihm saß. Als die Schwester fort war, tippte ihm ein anderer Patient auf die Schulter und zeigte ihm, wohin man die Frühstückstabletts bringen mußte. Cole folgte ihm und machte sich danach unter Billings' wachsamem Auge zusammen mit den anderen in den Tagesraum auf.

Der Fernseher war bereits eingeschaltet, es lief eine morgendliche Talk-Show. Stumpf dreinblickende Patienten hockten auf billigen Plastikstühlen und starrten mit leeren Blicken auf den Bildschirm. Cole fragte sich, ob sie es überhaupt bemerken würden, wenn jemand den Fernseher ausschaltete. Er gähnte und kratzte sich am Arm. Als er heute morgen aufgestanden war, hatte er entdeckt, daß in dem kleinen Schränkchen neben seinem Bett mehrere Flanellhemden und ein paar abgetragene Polyesterhosen lagen. Die Hemden waren zu eng und kratzten an Brust und Armen, aber als er das Billings gegenüber erwähnte, hatte der Pfleger nur die Achseln gezuckt und gesagt: »Mann, das ist hier keine Boutique. Zieh dich einfach an, ja?«

Cole zerrte am Kragen seines Hemds und zog eine Grimasse, dann setzte er sich an einen freien Tisch, auf dem Zeitschriften und Malbücher lagen, ein Plastikeimer mit Buntstiften und ein paar Filzstifte.

»Guten Morgen«, sagte eine wohlklingende Stimme.

Cole blickte auf und nickte L. J. Washington zu. »Morgen.«

Ich frage mich, wo er seine Klamotten herkriegt, dachte er, als Washington stolz in seinem dreiteiligen Anzug und den flauschigen Pantoffeln vorbeistapfte. Mehr Patienten kamen herein. Von Washington abgesehen, schenkte ihm keiner von ihnen die geringste Aufmerksamkeit. Ein paar Minuten lang beobachtete er sie, dann begann er, die Zeitschriften durchzublättern. Aus allen waren Seiten herausgerissen. In einigen hatte man Fotos mit Obszönitäten und ungeschickten Zeichnungen verunstaltet. Cole entschied sich schließlich für die Ausgabe einer Frauenzeitschrift vom vergangenen Jahr; sie hatte breite Ränder, und es fehlten nur ein paar Seiten. Er wühlte in dem Eimer mit den ausgetrockneten Filzstiften und Bleistiftstummeln, bis er einen lila Buntstift fand, der lang genug war, daß er ihn bequem halten konnte. Er balancierte die Zeitschrift auf den Knien und fing an, wild die Ränder zu beschreiben, drehte die Zeitschrift seitlich oder auf den Kopf, wenn er keinen Platz mehr fand.

Etwa eine Stunde lang arbeitete er so, und niemand störte ihn. Alle saßen schweigend da, und die Stille wurde nur gebrochen, als ein weiterer Patient zur Tür hereinkam und L. J. Washington ihn grüßte.

»Guten Morgen, Sandra. Guten Morgen, Dwight.«

Hin und wieder warf Cole einen Blick auf den Fernseher. Der Bericht über Hunde, die Frisbee spielten, war zu Ende. Jetzt konnte man eine schlechte Videoaufnahme eines anderen Tiers sehen, eines Laboraffen mit kahlrasiertem Schädel, dessen schlaffer Körper festgebunden und so mit Drähten bedeckt war, daß man die hellbraune Gestalt kaum ausmachen konnte. Während ein Kommentator weitersprach, zuckte der Affe erbärmlich, riß die Augen weit auf und fletschte voller Angst die gelben Zähne. Cole zog eine Grimasse. Er sah sich um, weil es ihn interessierte, wie die anderen auf dieses verstörende Bild reagierten: überhaupt nicht. Er beugte sich wieder über die Zeitschrift und schrieb weiter.

»Folter! Experimente!« Eine Stimme durchbrach die bleierne Stille des Tagesraums. Cole klappte die Zeitschrift zu und sah, daß Jeffrey auf ihn zukam. »Wir sind alle Affen.«

Mit einer knappen Verbeugung nahm sich Jeffrey einen Plastikstuhl und zog ihn neben Cole. »Zu Ihren Diensten«, verkündete er mit spöttischer Höflichkeit.

Cole starrte ihn mitleidig an. »Dein Auge«, sagte er und zeigte auf Jeffreys Gesicht. Die Haut rund um das eine Auge leuchtete in Violett und Giftgrün. »Sie haben dir weh getan.«

Jeffrey grinste und wies mit dem Daumen auf den Fernseher. »Nicht so schlimm wie dem Kätzchen da.«

Cole drehte sich um. Auf dem Bildschirm war eine Laborkatze zu sehen, die wild im Kreis herumrannte und sich in den eigenen Schwanz biß, während die Laborangestellten gleichmütig zusahen. Die Katze war vollkommen nackt rasiert. Blutstropfen spritzten, als das Tier sich gequält die Krallen ins eigene Fleisch des Schwanzes schlug.

»*Diese dramatischen Bilder, die Tierrechtler heimlich aufgenommen haben, beunruhigen die Öffentlichkeit*«, erklärte ein Nachrichtensprecher. »*Aber die zuständigen Institutionen erklären, es könnte wenig dagegen unternommen werden, wenn…*«

»Sieh dir das an!« rief Cole wütend. »Die wollen es doch nicht anders! Es gibt Leute, die verdienen es einfach, daß man sie umbringt.«

Jeffrey lachte und lehnte sich zurück; er hätte ebensogut

ein Spiel in Wimbledon verfolgen können. »Die ganze Menschheit umbringen! Eine tolle Idee! Aber das ist eher ein Langzeitziel. Jetzt müssen wir uns auf etwas Naheliegendes konzentrieren.« Er senkte die Stimme zu einem Flüstern und streckte die Hand aus, um Coles Handgelenk zu berühren. »Ich hab kein Wort verraten, du weißt schon wovon.«

Cole starrte ihn fragend an. »Wovon redest du eigentlich?«

Jeffrey zwinkerte. »Du weißt schon. Dein Plan. Emanzipation!« Er senkte den Blick und bemerkte zum ersten Mal Coles Zeitschrift. »Was schreibst du da? Bist du Journalist?«

»Nein, das ist privat.« Cole klemmte sich die Zeitschrift unter den Arm.

»Ein Protokoll? Willst du sie verklagen?« Jeffreys Augen glitzerten aufgeregt.

Ein Schatten fiel über den Tisch. Billings ragte neben Cole auf, eine kleine weiße Plastiktasse voller Tabletten in der Hand.

»He, James – Zeit für deine Medizin.«

»Nein.« Cole schüttelte den Kopf.

»Anordnung des Arztes.« Billings hatte noch eine weitere Tasse dabei – auch diese aus Plastik, alles hier war aus Plastik –, die mit Wasser gefüllt war, und er reichte sie Cole. »Komm schon, Jimbo. Danach geht es dir besser.«

Cole setzte sich steif auf und starrte die Tabletten an. »Was ist das für ein Zeug?«

Billings zuckte die Achseln. »Geht mich nichts an, Jimbo. Jetzt trink schon –«

Er schluckte sie. Jeffrey sah zu, mit ausdrucksloser Miene.

»Und jetzt schön brav sein«, sagte Billings, zerdrückte die Plastiktasse und wandte sich ab. »Spielt schön.«

»Aber sicher«, sagte Jeffrey lachend. »Machen wir.«

Während der nächsten Minuten behielt Cole die Zeitschrift unter dem Arm geklemmt und wartete, daß Jeffrey endlich ging. Schließlich ließ seine Unruhe langsam nach. Er gähnte, spürte, wie die Zeitschrift neben ihm zu Boden fiel. Er ließ sie dort liegen, und einen Augenblick später ließ er auch den Buntstift fallen. Er hatte einen bitteren Geschmack im Mund, aber das störte ihn nicht mehr. Er mußte immer wieder gähnen, obwohl er nicht sonderlich müde war. Dennoch war er wohl nach einer Weile eingeschlafen, denn als er die Augen wieder öffnete, waren im Fernsehen bunte Bilder eines hübschen jungen Paars zu sehen, das an einem Strand herumtollte.

»Versuchen Sie's«, drängte eine Stimme. »Leben Sie für den Augenblick. Wundervoller Sonnenschein...«

Nickend und gähnend stand Cole auf. Er zog seinen Stuhl dichter zum Fernseher und setzte sich zwischen zwei Frauen, die mit offenem Mund auf den Schirm starrten.

»...hinreißende Strände. Ein Traum! Wie wäre es mit einem Tapetenwechsel! Wie wäre es mit einem Urlaub auf den Keys?«

»Ha! Gute Idee!« Jeffrey drängte sich neben Cole und stieß ihn leicht an, als er sich ebenfalls niederließ. »Tapetenwechsel.«

Cole sah ihn verwirrt an, als Jeffrey grinsend zwinkerte. »Verstehst du nicht, Jimbo? Tapetenwechsel?«

Jeffrey streckte die Faust aus und öffnete sie für einen kurzen Augenblick, so daß Cole sehen konnte, was er in der Hand hielt: einen Schlüssel.

»Hä?« Cole schüttelte betäubt den Kopf, dann wandte er sich wieder dem Fernseher zu, wo ein seriös dreinblickender Geschäftsmann begonnen hatte, über Investitionen zu dozieren.

»*Wer Verantwortung trägt*«, dröhnte seine Stimme, »*muß schon jetzt an die Zukunft denken und investieren...*«

Cole starrte den Bildschirm an und nickte gehorsam.

»Wow, sie haben dir aber wirklich ein Ding verpaßt«, sagte Jeffrey und stieß einen Pfiff aus. »Volle Breitseite! Aber hör zu – versuch, dich zu konzentrieren. Los! Konzentriere dich!«

»*...und wenn Sie sich erst einmal entschlossen haben, bedenken Sie, welche Möglichkeiten...*«

Cole warf Jeffrey einen leeren Blick zu. »Der *Plan*«, flüsterte Jeffrey ungeduldig. »Erinnerst du dich denn nicht? Meinen Teil habe ich getan.«

»Was?«

»Nicht *was*, Junge, *wann*!«

Cole blinzelte. »Wann?«

Mit einem Blick über die Schulter drückte Jeffrey Cole den Schlüssel in die Hand. »Jetzt!«

Cole schüttelte den Kopf. »Ich verstehe nicht –«

»*Aber denken Sie daran*«, warnte die Stimme aus dem Fernseher, »*für kluge Investitionen brauchen Sie einen Partner…*«

»Genau«, schrie Jeffrey und sprang auf. »*Jetzt ist der richtige Zeitpunkt! Kauft Aktien! Leistet euch einen Traumurlaub! Tapetenwechsel! Der richtige Zeitpunkt ist da! Entscheiden Sie sich! Jetzt!*«

Cole sah verdutzt zu, wie Jeffrey vor ihm herumtanzte und wild mit den Armen fuchtelte. Das Haar fiel ihm ins Gesicht.

»*Ja!!*« sagte Jeffrey. »*Ja Ja ja! Ergreifen Sie jetzt die Initiative!*«

Stimmen von der anderen Seite des Raums: Cole sah hinüber und entdeckte Billings, der auf Jeffrey mit wütender Miene zukam. Hinter ihm drückte ein anderer Pfleger Tasten auf einem Pieper.

»*Kaufen Sie! Greifen Sie zu! Nutzen Sie die Gelegenheit!*« schrie Jeffrey mit flammenden Augen und drehte weiter vor Cole seine Pirouetten. »*Jetzt handeln! Sonst könnte es zu spät sein!*« Er tanzte zum Tisch, wo dieselbe Frau wie am Vortag ziellos Puzzlestücke über die Tischplatte schob. »*Eine solche Gelegenheit kommt nie wieder!*« Mit fröhlichem Lachen fuhr Jeffrey mit der Hand über den Tisch und fegte das halbfertige Puzzle herunter. Die Frau starrte ungläubig zu Boden, dann hob sie den entsetzten

Blick zu Jeffrey. Gackernd wirbelte er davon. Als Billings nach ihm greifen wollte, packte Jeffrey einen anderen Patienten und schob ihn dem Pfleger in die Arme.

»*Verpassen Sie diese einmalige Gelegenheit nicht...*«

»Mir wird ganz schwindlig«, jammerte eine dicke Frau, als Jeffrey an ihr vorbeisprang. »Er soll *aufhören*!«

»Fünfhundert Dollar!« schrie ein alter Mann plötzlich in Coles Ohr. »Ich habe fünfhundert Dollar! Ich bin *versichert*!«

Jeffrey hielt inne. »*Eine Gelegenheit!*« trötete er dann wieder los, diesmal direkt an Cole gewandt. »*Gelegenheiten sind wie Fenster in die Zukunft! Fenster, die sich öffnen! Und jetzt ist der richtige Zeitpunkt, diese Gelegenheit zu ergreifen!*«

Cole schüttelte den Kopf. Der Geschmack in seinem Mund war so schlimm, daß er sich am liebsten übergeben hätte. Jeffreys Worte waren wie zähflüssiger Sirup, der ihm langsam ins Bewußtsein tröpfelte. Erst als die Tagesraumtür aufging und zwei weitere Pfleger sich auf Jeffrey stürzen wollten, begriff er endlich, daß der junge Mann ihm eine Botschaft übermitteln wollte.

»*Ja! Genau! Visa! American Express! Der Schlüssel zum Glück!*«

Einer der Pfleger blieb stehen, zückte einen schweren Schlüsselring und verschloß schnell die Tür, ehe er sich dem tobenden Patienten zuwandte.

»*Ergreifen Sie die Gelegenheit!*« kreischte Jeffrey und schob sich an Billings und dem anderen Pfleger vorbei.

Selbst von der anderen Seite des Raums aus konnte Cole seine blauen Augen wild aufblitzen sehen, als er mit den Armen fuchtelte. *»Jetzt können Sie reich werden! Versäumen Sie diese Gelegenheit nicht!«*

»Nicht versäumen!« wiederholte Cole. Er starrte den Schlüssel in seiner Hand an und blickte wieder auf, nur um zu sehen, wie Billings bei dem Versuch, sich auf Jeffrey zu stürzen, über einen Stuhl stolperte.

»Verdammt noch mal, Jeffrey, hör auf mit dem Blödsinn!« keuchte Billings.

Cole zögerte. Er warf einen Blick zur Tür, versuchte, besser sehen zu können. Seine Hand schloß sich um den Schlüssel, als die Pfleger Jeffrey schließlich packten und zu Boden rissen.

»Das ist Ihre letzte Gelegenheit! He – au!«

Ohne noch weiter nachzudenken, stolperte Cole zur Tür. Zitternd versuchte er, den Schlüssel ins Schloß zu stecken, und versagte. Er warf einen nervösen Blick über die Schulter und sah, daß die Pfleger immer noch mit Jeffrey beschäftigt waren. Endlich bekam er den Schlüssel ins Schloß.

»Verdammt«, flüsterte Cole mit belegter Stimme: Der Schlüssel drehte sich nicht.

»He.«

Cole zuckte zusammen. In der Nähe stand ein Mann in einem Flanellschlafanzug und beobachtete ihn. »Ja, eine Reise auf die Trauminsel«, sagte er. »Das ist wirklich der Schlüssel zum Glück!«

Verzweifelt versuchte Cole es noch einmal. Diesmal drehte der Schlüssel sich.

»Sei vorsichtig«, sagte der alte Mann, als Cole durch die Tür in den hallenden Flur schlüpfte. »J. Edgar Hoover ist nicht *wirklich* tot!«

In einem anderen Teil des Städtischen Krankenhauses war Kathryn Railly gerade auf dem Weg in ihr Büro. Im Gehen blätterte sie ihre Post durch: Werbung von Pharmafirmen, dringende Briefe von Eltern und Ehepartnern, die sich nach Patienten erkundigten, ein Schreiben des Fitneßclubs, das neue Öffnungszeiten ankündigte. Als sie um eine Ecke bot, streckte Dr. Casey den Kopf aus seinem Büro und wedelte mit einer herausgerissenen Zeitschriftenseite.

»Kathryn! Moment mal –« Sie blieb stehen, als Casey auf sie zukam. »Das da war in meinem Fach, aber ich habe den leisen Verdacht, daß es nicht für mich bestimmt war.«

Kathryn starrte die abgerissene Seite in seiner Hand an und runzelte die Stirn, als er mit übertriebener Betonung vorzulesen begann.

»Sie sind die schenste Frau, die ich je gesen hab. Sie leben in einer Wunderschenen welt. Aber das wisen sie nicht. Sie sin frei un haben die Sone un Luft zum atmen.«

Sie kniff die Augen ein wenig zusammen und lächelte traurig. »Cole. James Cole, nicht wahr?«

Casey bedeutete ihr zu schweigen und rückte seine Brille

zurecht, als er fortfuhr: »Ich wirde ales tun um zu bleiben aber ich mus weg. Bite helfen sie mir.«

Kathryns Lächeln verblaßte. »Armer Mann...«

Schwere Schritte veranlaßten beide, sich umzusehen. Dr. Goodin kam um die Ecke gerannt.

»Heh, Kathryn!« rief er, völlig außer Atem. »James Cole ist doch einer von deinen, oder? Er ist abgehauen. Das letzte Mal ist er oben auf Neun gesehen worden.«

Kathryn und Casey starrten ihn verdutzt an, dann rannten sie hinter ihm her.

Ein Mann vom Sicherheitsdienst trieb den Flüchtigen nahe der Röntgenstation in die Enge, nachdem Cole vergeblich versucht hatte, sich im Tomographieraum zu verstecken. Es brauchte drei Sicherheitsleute und vier Pfleger, um ihn unter Kontrolle zu bringen, und es ging nicht ohne Kampf ab. Als sie Cole endlich auf eine Trage geschnallt hatten, mußten weitere Sicherheitsleute gerufen werden, und ein Krankenwagen.

»Bitte... Sie müssen das verstehen; es ist ein Mißverständnis...« flehte er.

»Schnauze«, fauchte Billings.

Kathryn hielt die Luft an, als sie sah, wie die Pfleger die Bahre in die Isolierzelle rollten. Billings' rechtes Auge war stark geschwollen, und einer der Sicherheitsleute tupfte sich Blut von einem ekligen Riß in seiner Wange. Auf der Bahre kämpfte Cole vergeblich gegen die Fesseln an. Sein Gesicht war rot und fleckig, seine Pupillen erweitert. Kathryn war verblüfft, wieviel Nachdruck er immer noch in seine schleppenden Worte legen konnte – er hatte genug Halcion in sich, um jemanden außer Gefecht zu setzen, der doppelt so groß war.

»Dr. Railly?« Billings' Stimme unterbrach ihre Gedanken. Sie trat zur Seite, um Platz für die Bahre zu machen.

»Ja«, erwiderte sie. Sie hob die Spritze, überprüfte sie ein weiteres Mal auf Luftblasen und wandte sich dann Cole zu. Er starrte sie aus weitaufgerissenen Augen an, der Blick eines Wahnsinnigen, und sie mußte an einen Abend im vergangenen Sommer denken, an dem sie aus Versehen einen Waschbären überfahren hatte. Auch das Tier hatte sie so angesehen, vollkommen verständnislos und taub vor Schmerzen, die Zähne zu einer blutigen Grimasse gefletscht.

»Nicht noch mehr Drogen, bitte…« flüsterte Cole.

Kathryn schluckte, zwang sich, seine Hand anzusehen und nicht seine Augen. »Es ist nur etwas zur Beruhigung«, sagte sie, als sie die Nadel an die Haut seines Oberarms drückte. »Ich muß das tun, James. Sie sind sehr durcheinander.«

Danach drehte sie sich abrupt um und ging davon, noch ehe einer der Sicherheitsleute ihr eine Frage stellen konnte. Sie versuchte, nicht mehr daran zu denken, wie der Waschbär am Straßenrand gefaucht und um sich geschlagen hatte, als sie weitergefahren war.

Sie machte ihre Runde und kehrte dann in ihr Büro

zurück. Auf ihrem Tisch lag eine Notiz, Dr. Fletcher erwarte sie im Besprechungszimmer.

»Scheiße«, murmelte sie und rieb sich die pochenden Schläfen. Sie schluckte mehrere Ibuprofen, trank ein paar Schluck lauwarmes Evian und eilte zurück in den Flur.

Im Besprechungsraum saß Fletcher zwischen Goodin und Casey. Alle drei wirkten angespannt, Goodin sogar ausgesprochen verärgert. Kathryn spürte, wie ihr heiß wurde; sie kam sich vor wie in der High-School-Zeit, wenn sie ins Zimmer des Direktors gerufen wurde.

»Kathryn, setz dich.«

Fletcher zeigte auf einen Stuhl ihm gegenüber. Kathryn warf einen Blick darauf und zog sich dann schnell einen anderen Stuhl zum Tisch. Fletchers Augenwinkel zuckte, als er nach seinem Bleistift griff und sagte: »Vier Jahre! Wir arbeiten jetzt seit *vier Jahren* zusammen, Kathryn, und so habe ich dich noch nie erlebt.«

Kathryn machte den Mund auf und Fletcher zeigte mit dem Stift auf sie. »Bitte, Kathryn, sei nicht so defensiv. Das hier ist kein Verhör.«

»Ich glaube nicht, daß ich defensiv bin. Ich war nur –«

Der Bleistift traf fest auf die Tischkante. »*Er hätte ruhiggestellt sein sollen.* Das war eine grobe Fehlleistung von dir, so einfach ist das. Wieso stehst du nicht dazu?«

Kathryn wollte zurückfauchen, überlegte es sich dann aber anders. Statt dessen starrte sie ein paar Sekunden den Tisch an.

»Also gut, es war eine Fehleinschätzung«, sagte sie

schließlich. Gegen ihren Willen tauchte ein Bild vor ihrem geistigen Auge auf: Cole, der hilflos auf die Bahre geschnallt war, mit Fesseln aus Stoff und Metall. »Aber ich habe dieses merkwürdige Gefühl, daß ich ihn schon irgendwo gesehen habe –«

»Er hat schon zwei Polizisten krankenhausreif geschlagen«, unterbrach Fletcher sie erbost. »Und jetzt haben wir einen Pfleger mit einem gebrochenen Arm und einen Sicherheitsbeamten mit einem Schädelbruch.«

»Ich habe ja schon gesagt, ich habe ihn falsch eingeschätzt. Was soll ich denn noch tun?«

Fletcher lehnte sich zurück. »Siehst du, was ich meine? Wenn das keine defensive Haltung ist!« Er wandte sich Dr. Casey zu. »Ist sie defensiv oder nicht, Bob?«

Bevor Casey antworten konnte, klopfte es zögernd an der Tür. Kathryn fuhr herum und sah Billings, der sich einen Eisbeutel ins Gesicht drückte und sagte: »Äh, Dr. Fletcher? Wir haben eine andere – Situation.«

»*Gott!*« Fletcher schlug mit der flachen Hand auf den Tisch. Diesmal zerbrach der Bleistift. »Was ist denn nun schon wieder?«

Billings nahm den Eisbeutel von der Wange und zog eine Grimasse. »Das sollten Sie sich lieber selbst ansehen, Doktor.«

Billings wich Kathryns Blick geschickt aus, während er sie zur Isolierzelle führte.

Vor dem Eingang zur Zelle stand eine kleine Menschenmenge, mehrere Sicherheitsleute und eine Krankenschwester. Fletcher drängte sich an ihnen vorbei, schob die schwere Tür auf und starrte in den Raum.

»Wo ist er?«

Hinter ihm schüttelte Billings den Kopf. »Er ist – er ist weg, Doktor.«

»Er war vollkommen ruhiggestellt?« Fletchers Stimme hob sich bedrohlich. Kathryn machte sich auf das gefaßt, was jetzt kommen würde. »Und die Tür war abgeschlossen?«

Billings nickte. »Ja, Sir. Hab selbst den Schlüssel umgedreht.«

»Und er hatte die entsprechenden Medikamente erhalten?«

Kathryn stellte sich seinem anklagenden Blick und erwiderte: »Ja, selbstverständich.«

Fletcher boxte gegen die gepolsterte Innenseite der Tür. »Wollen Sie etwa behaupten, daß ein sowohl äußerlich fixierter als auch medikamentös ruhiggestellter Patient irgendwie durch den Luftschacht geschlüpft ist, das Gitter hinter sich wieder eingesetzt hat und sich jetzt gerade durch das Ventilationssystem windet?«

Alle sahen in die Richtung, in die Fletcher zeigte: eine Öffnung der Belüftungsanlage, gut zwei Meter vom Boden entfernt und mit einem schweren Edelstahlgitter verschlossen. Der Schacht hatte eine Seitenlänge von etwa fünfzehn Zentimetern.

»Wollen Sie mir das etwa erzählen?« wiederholte Fletcher und starrte Billings an. Der Pfleger zuckte unbehaglich mit den Schultern, den Blick immer noch auf den Schacht gerichtet.

»Äh, ja, Dr. Fletcher«, sagte er, während draußen weitere Sicherheitsleute angerannt kamen. »Ich fürchte, das ist alles, was ich sagen kann.«

Das Glas des Aussichtsfensters ist dick, staubig und mit den Abdrücken Tausender Kinderfinger beschmiert. Draußen erhebt sich eine 747 in die Luft, der Boden flimmert in der heißen Luft um die Motoren.

»Letzter Aufruf für Flug Nummer 784 nach San Francisco. Bitte begeben Sie sich zu Gate achtunddreißig. Flug Nummer 784...«

Hinter ihm erklingen Stimmen, die ersten zögernden Schreie einer Menschenmenge, die in Panik gerät. Er wirbelt herum, versucht, die Hand seines Vaters abzuschütteln, und sieht einen rotblonden Mann mit Zopf, der sich vorbeidrückt. Die Menge rennt auseinander, als alle Deckung suchen, und einen Augenblick lang sieht er eine Frau, die die Hände vors Gericht legt und schreit.

»Neeeiiin!«

Er runzelt die Stirn. Etwas an ihr kommt ihm bekannt vor – die hellblauen Augen, der entschlossene Zug um den schönen Mund, die Art, wie sie den Kopf dreht. Das Bild einer anderen Frau taucht vor ihm auf. Eine Frau mit dunklem Haar und mitleidigem Blick, eine Ärztin – wie hieß sie noch? Eine Ärztin –

Aber die Frau auf dem Flughafen ist sehr blond und grell

geschminkt: Ihr voller Mund ist leuchtend rot, über ihre blasse Haut laufen Streifen von Wimperntusche. Sie hat die blauen Augen weit aufgerissen, auch ihr Mund ist offen, aber seltsam reglos, und sie schreit mit einer unirdischen Stimme –

»Letzter Aufruf für die Gesellschaft zur Befreiung der Tiere in der Second Avenue. Geheimes Hauptquartier, Tor sechzehn. Die Armee der Zwölf Affen...«

»Cole, Sie Idiot! Wachen Sie auf!«

Er blinzelt, als die monotone Automatenstimme einer Sprechanlage weiter in demselben blutleeren Tonfall fortfährt –

»...der Zwölf Affen. Sie ist dafür verantwortlich...«

»Cole!«

Cole war auf einem Stuhl zusammengesunken. Er versuchte, sich aufzurichten, war aber nicht in der Lage dazu; er war einfach zu schwach. Er konnte nur blinzeln und sich auf die Geräuschquelle konzentrieren: ein Tonbandgerät, das auf einem Tisch stand. Dahinter konnte er eine Reihe angespannter Gesichter ausmachen. Die Lagerwissenschaftler, oder waren es Ärzte? Er schloß einen Augenblick lang die Augen, kämpfte eine Welle von Schmerz und Übelkeit nieder.

»...Ich kann nichts mehr tun. Ich muß jetzt gehen. Fröhliche Weihnachten.«

Er öffnete die Augen. Die Stimme brach abrupt ab, als das Band zu Ende war und laut flappend von der Spule lief.

»Und?« Das war der ernste Astrophysiker mit dem eleganten grauen Haar und dem goldenen Ohrring.

Cole schluckte, sein Mund war trocken und kreidig. »Äh, was?« krächzte er.

»Er ist bis obenhin mit Drogen vollgepumpt!« fauchte einer der anderen Wissenschaftler. »Völlig zugedröhnt.«

Der Astrophysiker ignorierte ihn. »Cole«, fragte er und zeigte auf das Tonbandgerät. »Haben Sie diese Nachricht durchgegeben oder nicht?«

Cole blinzelte gequält, versuchte, einen besseren Blick auf das Gerät zu bekommen. »Diese Nachricht... Ich?«

»Es ist die Rekonstruktion einer sehr schlechten Aufnahme«, erklärte einer der anderen Wissenschaftler mit mühsamer Beherrschung. »Ein schwaches Signal, das unter unserer Nummer einging. Wir mußten sie Wort für Wort wieder zusammensetzen, wie ein Puzzlespiel.«

»Wir sind gerade erst fertig geworden«, fiel der Astrophysiker ein. »Haben Sie nun diesen Anruf gemacht?«

Wut durchbrach schließlich den Nebel in Coles Kopf. »Ich konnte nicht anrufen! Sie haben mich ins falsche Jahr geschickt! Es war 1990!«

»1990!«

Die Wissenschaftler begannen, hektisch miteinander zu tuscheln. Dann sagte einer: »Sind Sie ganz sicher?« Bevor Cole antworten konnte, schaltete sich der Mikrobiologe ein; seine dunkle Brille glitzerte im trüben Licht.

»Was haben Sie überhaupt angefangen, Cole? Haben Sie Ihre Zeit mit Drogen und Frauen verschwendet?«

Cole sagte mit belegter Stimme: »Sie haben mich gezwungen, die Drogen einzunehmen.«

»Sie gezwungen!« Der Mikrobiologe warf den anderen einen ungläubigen Blick zu. »Wieso sollte Sie jemand dazu zwingen, Drogen zu nehmen?«

»Es gab Probleme.« Cole sprach langsam, versuchte die Geschichte eher für sich selbst als für die anderen zusammenzusetzen. »Ich bin verhaftet worden. Aber ich habe Ihnen trotzdem eine Probe mitgebracht, eine Spinne. Ich wußte nur nicht, wo ich sie hintun soll, also hab ich sie verschluckt. Es war sowieso das falsche Jahr, also nehme ich nicht an, daß das noch etwas ausmacht.«

Er verstummte. Die Wissenschaftler starrten ihn ungläubig an, dann begannen sie wieder zu flüstern. Cole kämpfte darum, die Augen offenzuhalten. Das Sprechen hatte ihn erschöpft. Sein Kopf schmerzte, und sein Unterkiefer – war er geschlagen worden? Er konnte sich nicht erinnern, *wollte* sich nicht erinnern.

Sein Kopf sackte nach vorn. Er sah nur noch undeutlich, und dann nahm das Gesicht des Mannes vor ihm – des Mikrobiologen – plötzlich die Züge des Mannes aus der Klinik an. Der Mann mit dem Bleistift: Dr. Fletcher. Cole holte tief Luft, zwang sich, geradeaus zu starren, bis die Umrisse des Gesichts verschwammen und er ihn wieder sehen konnte – nicht Dr. Fletcher, sondern den Mikrobiologen, der ebenfalls einen Bleistift in der Hand hielt. Mit einem leisen Aufschrei stürzte Cole nach vorn, und es wurde schwarz um ihn.

Er hatte keine Ahnung, wie lange er geschlafen hatte, wenn überhaupt. Früher einmal hatte er geglaubt, es gäbe eine Grenze zwischen Wachsein und Schlaf, zwischen dem Leben und dem Traumleben, zwischen dem, was er einmal für wirklich gehalten hatte und dem, was Fragmente dieser anderen, dieser Zwielichtwelt waren.

Aber nun war alles anders. Wie das Gesicht des Mikrobiologen verschwamm alles, was er wahrnahm, und entstand wieder neu, entsprechend den seltsamen visuellen oder akustischen Stichworten, die sein Geist aufnahm. Gefangene, die man einer Gehirnwäsche unterzogen hatte, fühlten sich so, und Drogenabhängige, und Schizophrene...

Was davon war er?

»*Cole!*«

Er erwachte mit einem Ruck. Um ihn herum war alles dunkel, bis auf eine zerrissene Projektionswand, auf der ein Bild erschien.

»Was ist damit, Cole?« dröhnte die Stimme. »Haben Sie so etwas gesehen, als sie dort waren?«

Cole blinzelte. Das Dia zeigte Graffiti, die mit einer Schablone aufgesprüht worden waren, in mattem Rot, ein Kreis mit zwölf Affen.

»Äh, n-nein, Sir«, stotterte Cole. »Ich –«

Klick. Ein weiteres Dia. Demonstranten, junge Männer mit geschorenen Köpfen und wütende Frauen, die Plakate und Transparente trugen.

Fleischfresser = Mörder!
Milch bedeutet Blut!
Stoppt die Grausamkeit!

Hinter weiteren Plakaten, die Grimassen schneidende Kapuzineräffchen und geblendete Katzen zeigten, standen Polizisten mit Helmen, Schutzschildern und Schlagstöcken.

»Was ist mit diesen Leuten?« Die Stimme des Astrophysikers war leise. »Haben Sie diese Leute gesehen?«

Klick. Ein Ausschnitt aus demselben Dia, das verschwommene, stark vergrößerte Gesicht eines Mannes, der das zerrissene Foto eines vivisezierten Affen in der Hand hielt. Das Gesicht des Mannes war so verzerrt wie das des Tiers, seine Wut ein Spiegel der Qual des Affen. Cole starrte das Dia ungläubig an. Trotz des längeren Haars und der Brille erinnerte der Mann an einen etwas älter gewordenen Jeffrey Goines.

»Und?« Der Astrophysiker zupfte an seinem Ohrring und drängte Cole fortzufahren. »Was ist mit ihm? Haben Sie diesen Mann gesehen?«

Cole nickte. »Ich glaube schon. In der Psychiatrie.«

»Sie waren in einer psychiatrischen Anstalt?« Das Dia verschwand in einem grellen Lichtblitz. Cole schirmte die Augen ab, und der Mikrobiologe trat vor die Leinwand. »Man hat Sie geschickt, um wichtige Beobachtungen zu machen!«

»Sie hätten einen großen Beitrag leisten können.« Der

Astrophysiker schüttelte enttäuscht den Kopf. »Helfen können, den Planeten wieder zurückzuerobern.«

»Und Ihre Strafe reduzieren können«, fügte einer der anderen finster hinzu.

»Die Frage ist, Cole«, sagte der Mikrobiologe und zog einen Stuhl neben ihn. »*Wollen Sie noch eine Chance?*«

Hinter ihm röhrt ein Düsentriebwerk auf, aber das Jaulen geht beinahe unter in den verwirrten Schreien, dem Geräusch laufender Füße. Als er den Kopf hebt, sieht der Junge die blonde Frau den Gang entlang fliehen, ihr helles Haar flattert hinter ihr her. Jemand rempelt ihn an, und er öffnet den Mund, um zu schreien.

»Wer ist da?« fragt eine rauhe Stimme gereizt.

Cole erwachte.

»Ich will wissen, wer da ist.« Dieselbe Stimme, immer noch ungeduldig, aber jetzt auch ein bißchen spöttisch. Cole rieb sich die Augen und starrte trüb ins Dunkel. Eine winzige Zelle mit denselben nackten Zementwänden und derselben hohen Decke wie die Isolierzelle in der Psychiatrie. Niemand außer ihm war hier.

»He, Bob – wie heißt du?«

Cole stützte die Ellbogen auf die Matratze und erhob sich, sah sich vergebens um, woher die Stimme kam. Gehörte das auch zu seinem Traum? Er schüttelte den Kopf, versuchte verzweifelt, vollständig aufzuwachen. Sein Kopf fühlte sich taub an, sein Mund war wund, und er konnte Galle schmecken.

»He, Bob! Was issen los, haste deine Zunge –«

Plötzlich entdeckte Cole einen Lüftungsschacht, nicht breiter als seine Hand, hoch oben an der Wand. Konnte die Stimme von dort kommen? »Wo bist du?« krächzte er.

Die Stimme lachte triumphierend und boshaft. »Also kannst du doch reden! Was haste gemacht, Bobby Boy? Dich freiwillig gemeldet?«

Cole spähte zu dem Luftschacht hin. »Ich heiße nicht Bob«, sagte er schließlich.

»Kein Problem, Bob. Wo ham se dich hingeschickt?«

Cole leckte sich die Lippen, schmeckte Blut. »Wo bist du?« fragte er.

Schweigen. Und dann: »In 'ner Zelle. Vielleicht.«

Cole zog eine Grimasse und kam auf die Beine, reckte sich, um etwas hinter dem Draht vor dem Luftschacht erkennen zu können – ein Gesicht, einen Schatten, eine Hand, irgendwas. »Was meinst du mit ›vielleicht‹? Was soll das heißen?«

»›Vielleicht‹ heißt, *vielleicht* bin ich in der Nachbarzelle, ein anderer Freiwilliger wie du. Oder *vielleicht* bin ich im Hauptbüro und spioniere dich für all diese Wissenschaftsfreaks aus. Oder, ach –« Die Stimme klang jetzt geheimnisvoller. »*Vielleicht* bin ich auch gar nicht da. *Vielleicht* bin ich nur in deinem Kopf. Das kannste alles nicht feststellen, oder? Haha. Wo ham se dich hingeschickt?«

Cole blieb schweigend auf seiner Pritsche hocken.

»Schweigsam, wie, Bob? Is schon gut. Kein Problem.«

»1990.«

»Neunzig!« rief die Stimme übertrieben entzückt. »Oooh! Wie war's denn? Gute Drogen? Geile Weiber? He, Bob, hast du's geschafft? Haste rausgefunden, was die wissen wollen? Über die Armee der Zwölf Affen? Wo der Virus vor der Mutation war?«

»Ich hätte im Jahr 1996 landen sollen.«

Ein gackerndes Lachen. »Was die Witzbolde hier betreiben, is nicht gerade exakte Wissenschaft, aber sie werden immer besser. He, du hattest Glück, daß du nicht im alten Ägypten gelandet bist.«

Schlüsselrasseln an der Tür hinter Cole. Unter Schmerzen drehte er sich um, und die Stimme flüsterte: »Pst. Sie kommen.«

Die Tür öffnete sich knarrend und zwei Wärter kamen herein, brachten eine alte Rollbahre mit. Cole ließ sich widerstandslos darauf schnallen. Als sie ihn in den Flur schoben, wich sein Blick nicht von dem Luftschacht in der Wand, dessen Stahlgitter jetzt aussah wie ein Mund, der eine Grimasse zog.

Es dauerte nur Minuten, bis sie ihr Ziel erreicht hatten, eine finstere Kammer, die nur von einer einzigen flackernden Birne beleuchtet wurde. Die Wände waren aus rissigem Beton und mit Schimmel überzogen. Rinnsale rieselten an ihnen entlang zum Boden. Cole konnte ein schmatzendes Geräusch hören, als die Räder der Bahre durch schimmelüberzogene Pfützen rollten.

»Also gut, Cole. Diesmal sollten Sie sich keinen Fehler

85

leisten.« Mehrere Paare von Händen zogen die Fesseln fest. »Bleiben Sie wach. Halten Sie die Augen offen.«

Cole erkannte die ernste Stimme des silberhaarigen Astrophysikers, aber im Dunkeln konnte er nur blasse Gesichter ausmachen und eine Reihe weißgekleideter Gestalten, die sich zielstrebig bewegten.

»Das mit der Spinne war eine gute Idee, Cole.« Die sanfte Stimme der Zoologin erklang, als die Bahre quietschend weitergeschoben wurde. Die Frau strich ihm über den Arm, ließ ihre Hand kurz auf seiner Stirn ruhen. »Versuchen Sie, so etwas noch mal zu machen. Und jetzt –«

Am Ende des Raums konnte er ein riesiges, abgerundetes Ding sehen, eine gewaltige, schwach leuchtende Röhre aus einem transparenten Material. Coles Herz begann, heftiger zu klopfen. Er hatte so etwas schon einmal gesehen, aber wo? In seinem Traum, am Flughafen? Nein – wie von einem Blitz erhellt sah er den Raum in der Psychiatrie vor sich, in den er geflohen war, bevor Billings ihn erwischt hatte. Das verblüffte Gesicht eines Laboranten, ein Schild an der Tür, auf dem stand: TOMOGRAPHIERAUM. ZUGANG NUR FÜR FACHPERSONAL. Als er sie mit wachsendem Schrecken anstarrte, wurde die Röhre dunkler, wie wenn man klares Glas mit blauer Flüssigkeit füllte.

»Entspannen Sie sich. Kämpfen Sie nicht dagegen an.« Die Zoologin verschwand. An ihrer Stelle beugte sich jetzt der Mikrobiologe über ihn, seine dunkle Brille glitzerte im bläulichen Licht. »Wir müssen wissen, was dort passiert ist, damit wir etwas dagegen tun können.«

Dann war auch er verschwunden. Über sich sah Cole nur noch das schattige Innere der Röhre und verwischte, angespannte Gesichter. Die Räder der Bahre quietschten ein letztes Mal, als sie in die Röhre geschoben wurde. Dann fiel das Tor zur Röhre mit einem Knall zu.

Plötzliche, unerwartete Dunkelheit. *Echte* Dunkelheit, die tiefschwarze, erstickende Nacht eines versiegelten Sargs. Cole schloß die Augen, öffnete sie wieder: kein Unterschied. Kein flackerndes laues Glühen, nicht einmal die Phantomfarben, die man zwischen Traum und Erwachen sieht. Er begann, sich verzweifelt zu bewegen, verlagerte das Gesicht von einer Seite zur anderen, so daß die Bahre anfing zu klappern. Er röchelte vor Angst, wollte schreien, dachte dann aber: *Luft! Ich kriege keine Luft!* Bevor er auch nur keuchen konnte, erklang ein Geräusch – es umgab ihn von allen Seiten – ein tiefes, mechanisches Summen wie von einem Schwarm elektrischer Bienen. Das Summen wurde lauter und immer noch lauter, bis er spüren konnte, wie seine Knochen vibrierten. Blitze zuckten durch das Dunkel – einmal, zweimal – und gingen in ein blendendes Zucken über, das sich dem Rhythmus des Summens anpaßte. Cole wußte nicht mehr, ob er dieses schreckliche Geräusch tatsächlich hörte oder ob er davon taub geworden war und es nur noch in seinem zerschlagenen Körper spürte.

Aber wie durch ein Wunder wurde das Geräusch schließlich leiser, ganz langsam, und es dauerte einige Zeit, bis Cole überhaupt bemerkte, daß der Donner zu einem

Knurren geworden war, das Knurren zu einem Brummen, das Brummen zu einem hektischen Knistern. In seinen Ohren klirrte es, und er konnte ein blechernes Jammern hören, das sich langsam in Stimmen auflöste, nur, daß er keine Worte erkennen konnte, nur wilde Schreie, ein Kreischen. So abrupt, wie sie begonnen hatten, hörten die Lichtblitze auf. Die Fesseln rieben an seinen Armen, und als er versuchte, sich von der Bahre zu erheben, fühlte es sich an, als zerrissen sie ihm die Brust. Er schrie auf, als sich ihm eine Metallschnalle ins Fleisch bohrte, aber seine Stimme ging im Krachen einer Explosion unter.

»Aaagh!«

Um ihn herum zerbarst die Dunkelheit, stürzte in einem Regen von Steinen und Erde auf ihn nieder. Ohne einen Laut fiel Cole nach hinten, stieß mit den Händen an etwas, das krachend neben ihm aufprallte. Er blickte auf und sah grauen Himmel. Vor ihm war ein Erdwall aufgeschüttet, aus dem zerrissene Wurzeln und Metallsplitter ragten. Stetiger, trostloser Regen klatschte ihm ins Gesicht. Als er den Mund öffnete, lief das Regenwasser hinein und brachte den kalten, beißenden Geschmack von Dreck mit sich.

»*Non! C'est mon bras –!*«

Ungläubig starrte Cole vor sich hin, als erst eine Gestalt an ihm vorbeirannte, dann eine weitere. Ihre Gesichter waren von grotesken Masken bedeckt. Unwillkürlich faßte Cole sich an sein eigenes Gesicht, fand aber keine Maske, nur Dreck und Blut. Ein plötzlicher Windstoß wehte heftigeren Regen in den Graben, und nach einer weiteren Explosion flogen Brocken von Erde über ihn hinweg. Gewehrfeuer antwortete. Cole schauderte und blickte zum ersten Mal nach unten.

Er war nackt. Erschrocken fuhr er sich über die Brust und ertastete dort nur Schlamm und etwas, das sich wie ein Stück feuchten Gewebes anfühlte. Er starrte seine Hand an und entdeckte zwischen seinen Fingern den schlaffen Überrest eines anderen Fingers. Ein kleines Stück Knochen trat aus dem Fleisch hervor, wie ein abgebrochener Zahn.

»*Arrête!*«

Cole fuhr herum und versuchte verzweifelt, das Stück Fleisch von seiner Hand abzuschütteln.

»*Qui est –*«

Vor ihm stand ein Mann in schwärzlich-brauner Uniform und schnauzte ihn an. Cole starrte zurück, den Mund weit offen, und versuchte zu begreifen, wieso der Mann eine so altmodische Uniform trug und schmutzige Gamaschen. Das Gewehr, das sein Gegenüber drohend umklammerte, war mit einem Bajonett versehen.

»Wo ist deine Maske? Und deine Kleidung – und deine *Waffe*, du Idiot?« schrie der Mann ihn auf französisch an.

Cole wich zurück, mit klappernden Zähnen. »Was? Was?«

»Aus dem Weg!« befahl der Mann.

Cole ging zurück in die Hocke, als mehrere Männer an ihm vorbeistoben, die eine mit Steinen beladene Bahre trugen. Zerrissener und blutiger Stoff hing in langen Bahnen davon herunter. Erst als ihm der Gestank verbrannten Fleisches in die Nase drang, bemerkte Cole, daß der blutige Stoff tatsächlich ein Stück eines Arms war und die ›Steine‹ ein blutiger Kopf und ein eingedrückter Brustkorb.

»O Gott –«

»Hauptmann!« schrie der Mann auf französisch. Cole klappte zusammen, als ihn das Bajonett an den Rippen traf. »Ein Boche! Wir haben einen von denen erwischt!«

»Ich verstehe das nicht!« keuchte Cole und hielt sich die Hände vor den Bauch. »Wo bin ich? Wer –«

»Wie sind Sie hergekommen, Soldat?« sprach ihn jemand auf deutsch an. Ein weiterer Mann kam durch den Schlamm gestapft, bebrillt und kleiner als der erste, und er trug offensichtlich eine Offiziersuniform. »Was für einen Rang haben Sie? Wo ist Ihre Uniform?«

Cole schüttelte den Kopf. »Ich – ich kann Sie nicht verstehen.«

»Deutsch! Sprechen Sie deutsch! Was machen Sie hier?«

Cole begann, unkontrollierbar zu zittern. Alles verschwamm ihm vor den Augen, das Gewehrfeuer im Hintergrund und die unverständlichen Stimmen wurden zu einem einzigen Geräusch, einem hohen Jaulen, das eine Sirene hätte sein können, oder Coles eigene Stimme. Ihm war schwindlig und übel, aber das war ihm gleichgültig; er war an einem Ort, wo ihn Angst, Staunen und Schmerz nicht mehr erreichen konnten. Er hatte die Augen offen, aber er sah nichts mehr. Der Sergeant gab ihm noch einen Stoß, doch er spürte es nicht – wie hätte er auch? Die Ränder seines Bewußtseins bogen sich von seinem Geist weg wie brennendes Papier; noch ein paar Augenblicke, und es würde nichts als die hohläugige Hülse eines Menschen zurückbleiben. In einem Graben oder einer Zelle, an eine Bahre gefesselt oder durch eine Flughafenhalle stolpernd – wen interessierte das noch? Selbst das schrille Heulen verebbte, aber Cole spürte nur dumpfe Erleichterung. Er hätte gelächelt, aber selbst das war zu anstrengend; nur noch ein Augenblick, und er würde weg sein, weg –

»Ich muß sie finden! Ich muß sie finden! Bitte, ihr müßt mir helfen!«

Die Stimme riß wie eine Glasscherbe durch seine Stumpfheit.

»Bitte!«

Englisch, aber mit Akzent – mit einem *amerikanischen* Akzent. Wieder stieß der Sergeant zu, und diesmal zuckte Cole zusammen und blinzelte, als er plötzlich deutlich sehen konnte, daß eine weitere Bahre an ihm vorbeigetragen wurde.

»Bitte, ihr müßt mich anhören, ich muß –«

Auf der Bahre lag ein junger Mann, der wild um sich schlug. Blut bedeckte sein Gesicht, die Arme und die Brust und tröpfelte in einer dünnen Linie von den Kanten der Bahre zu Boden. In dem dreckverschmierten Gesicht rollten die Augen wild. Als Cole den Mann ansah, war er entsetzter als jemals zuvor.

»José!« schrie er. Der Junge aus der Nachbarzelle. *»José!«*

Der Junge drehte sich um. »Cole!« Schmerzerfüllt verzog er das Gesicht. »O Gott, Cole, wo sind wir hier?«

Schwach tastete er nach Coles Hand. Bevor Cole die Hand ergreifen konnte, trat ein Mann hinter sie. Licht blitzte auf, und es stank nach Salpeter, als der Fotograf sich in den Graben duckte, die schwerfällige Kamera auf José gerichtet.

»Nein –« schrie Cole mit brechender Stimme. Ohne innezuhalten riß sich der Fotograf die Kamera vor die Brust und eilte weiter. Schüsse knallten. Cole keuchte, griff nach seinem linken Bein und fiel zu Boden.

Er biß die Zähne zusammen und versuchte, sich wieder aufzurichten. Ein schrilles Pfeifen erklang, dann klatschte etwas auf, ließ noch mehr Erdbrocken über den Graben fliegen. Gedämpfte Schreie, Befehle, die er nicht verstand. Gelblicher Nebel sickerte in den Graben. Giftiger Gestank drang Cole in die Nase und er hustete, hielt sich die Hand vor Mund und Nase und sah sich hektisch um. Überall waren Soldaten mit Gasmasken, die herumrannten wie aufgestörte Ameisen. Hustend kniete Cole sich auf sein gutes Bein und wischte sich die tränenden Augen, während er nach einem Ausweg suchte. Sein Blick fiel auf eine unnatürlich verrenkte Gestalt neben ihm: der Hauptmann, die Brust aufgerissen wie die eines Schlachttiers. Von seinem Kopf baumelte eine Gasmaske. Mit einem Aufschrei warf Cole sich nach vorn, tastete nach der Maske, aber bevor er sie fassen konnte, erschütterte eine weitere Explosion den Graben. Das letzte, was Cole sah, war sein eigenes Gesicht, das sich in den zerbrochenen Brillengläsern des Hauptmanns spiegelte.

Ein kühler Abend im Spätherbst. An der alten Eiche vor Breitrose Hall hingen nur noch wenige, braune Blätter, Eichhörnchen schleppten hastig die Eicheln weg, und am samtschwarzen Himmel flog eine Eule und schrie traurig auf. An der gotischen Fassade des Hauses klebten Plakate, die eine Band aus der Gegend anpriesen, Karten von Studenten, die dringend Mitfahrgelegenheiten für Erntedank suchten und eine längst überholte Filmliste des studentischen Filmclubs. Eine Handvoll Studenten gingen gemächlich am Haus vorbei und blieben unter einer Straßenlampe stehen, um das neueste an der Wand angebrachte Plakat zu lesen.

Alexander-Ringvorlesung, Wintersemester 1996

Jon Else über
Die nukleare Bedrohung

Dr. Alexander Miksztal über
Ethik in der Biologie

Michelle Deprieu über
Tschernobyl: Unfall oder Massenpsychose?

Drs. Helen und Howard Sterling über…

93

An den oberen Rand des Plakats hatte man einen Zettel mit handgeschriebenem Zusatz geklebt:

Heute!! 19. November 1996
DR. KATHRYN RAILLY
Wahnsinn und apokalyptische Visionen

Der Hörsaal war beinahe voll. Eine Frauenstimme hallte hohl in dem kahlen Raum wider, hin und wieder von einem Hüsteln und von Papierrascheln unterbrochen. Auf einer Leinwand auf dem Podium des Hörsaals war das Gesicht eines Mannes zu sehen, in den primitiven, aber wirkungsvoll einfachen Strichen eines mittelalterlichen Holzschnitts. Seine Augen waren riesengroß, sein Blick wirr und sein Mund wie in Todeschmerzen weit aufgerissen.

»Und eine der vier Gestalten gab den sieben Engeln sieben goldene Schalen voll vom Zorn Gottes, der da lebt von Ewigkeit zu Ewigkeit.‹«

Die Frau auf dem Podium hob den Kopf. Hochgewachsen und feinknochig, das Haar aufgesteckt, war sie ein Ausbund akademischer Eleganz, eindrucksvoll, aber zurückhaltend, mit einer großen Hornbrille, einem schicken schwarzen Kostüm, das nicht allzuviel Bein zeigte, und nur einem Hauch von Farbe auf ihrer Porzellanhaut. Ihre Stimme paßte zu ihr – kultiviert, aber kräftig. Sie hielt inne und ließ ihren Zuhörern einen Augenblick Zeit, über die Worte nachzudenken, dann fuhr sie fort.

»Offenbarung. Im zwölften Jahrhundert tauchte, wenn

man den zeitgenössischen Berichten glauben darf, dieser Mann hier –«

Sie zeigte auf den tobenden Wahnsinnigen auf der Leinwand.

»– eines Tages im Dorf Wylye bei Stonehenge in Wiltshire in England auf, im April 1162. Er verwendete unbekannte Begriffe, hatte einen merkwürdigen Akzent und machte Vorhersagen über eine Pest, die in achthundert Jahren die ganze Menschheit auslöschen würde.«

Das nächste Dia zeigte die Ruinen von Stonehenge im Mondlicht, was ihnen einen beunruhigenden Schimmer verlieh. Die Zuschauer reagierten ein wenig nervös, einige schnaubten ungeduldig.

»Dr. Railly«, setzte eine Stimme im Hintergrund an, aber die Frau auf dem Podium fuhr fort, ohne mit der Wimper zu zucken.

»Der Mann war hysterisch, vollkommen außer sich«, erklärte sie. »Er vergewaltigte eines der Mädchen aus dem Dorf und wurde gefangengenommen, entkam dann aber auf geheimnisvolle Weise, und man hat nie wieder von ihm gehört. Nun –«

Sie schaute in den abgedunkelten Hörsaal, der Lichtschein auf ihrem Gesicht verlieh ihr das Aussehen eines melancholischen Engels. »Offensichtlich ist dieses Weltuntergangsszenario viel überzeugender, wenn die Wirklichkeit eine gefährliche ansteckende Krankheit bereithält, sei es nun die Beulenpest, die Pocken oder Aids. Und nun müssen wir auch noch technologische Schrecken wie chemische Kriegführung in Betracht ziehen, wie sie zum ersten Mal in der Form des tödlichen Senfgases im Ersten Weltkrieg eingesetzt wurden.«

Auf der Leinwand hinter ihr erschien eine Reihe von Bildern: Soldaten mit Gasmasken, ein Blindgänger, das verzerrte Gesicht eines jungen Mannes, der bei einem Gasangriff gestorben war. *»Dulce et decorum est pro patria mori«*, bemerkte Railly trocken. »Während eines solchen Gasangriffs auf französische Schützengräben im Oktober 1917 tauchte dieser Soldat hier auf –«

Wieder zeigte sie auf die Leinwand. Eine sepiafarbene Fotografie zeigte einen dunkelhaarigen jungen Mann, dessen Züge unter dem Blut kaum zu erkennen waren, und der von erschöpften Soldaten auf einer Bahre getragen wurde. Der Mann hatte die verletzte Hand ausgestreckt, seine Miene beinahe unerträglich angespannt, das Gesicht eines Menschen, der gefunden hat, wonach er sich sehnte, nur, um es wieder zu verlieren.

»Während eines Angriffs wurde er von einem Schrapnell getroffen und ins Krankenhaus gebracht, offensichtlich hysterisch. Die Ärzte stellten fest, daß er kein Französisch mehr verstand. Aber Englisch sprach er fließend, wenn auch mit einem Akzent, den niemand einordnen konnte. Der Mann blieb hysterisch, obwohl er vom Gas keinen dauerhaften Schaden erlitten hatte. Er behauptete, er komme aus der Zukunft und suche nach einem Virus, der schließlich die ganze Menschheit ausrotten werde, und zwar im Jahr – 1996!«

Nervöses Kichern vom Publikum. Railly tippte ungeduldig auf die Leinwand, und ein weiteres Dia erschien. Es zeigte denselben hageren, gehetzt dreinblickenden jungen Mann, der auf einer Pritsche im Lazarett lag.

»Obwohl er schwer verletzt war, verschwand der junge Soldat aus dem Lazarett, zweifellos, um seine Mission fortzusetzen und weiterzuwarnen. Er hatte die allgemein anerkannten Schrecken des Krieges durch einen selbsterzeugten Schrecken ersetzt – was wir allgemein den ›Cassandra-Komplex‹ nennen.«

Im Publikum nickten zwei Zuhörer ganz versunken, dann schauten sie sich an – Marilou Martin und Wayne Chang, Freunde Kathryn Raillys aus ihrer Universitätszeit. Ein paar Plätze entfernt saß jemand, dem es schwerer fiel, Raillys Theorie zu akzeptieren.

»Rom brennt, und sie erzählt Geschichten«, murmelte ein schwarzgekleideter Mann mit schulterlangem, rötlichem Haar vor sich hin, tippte weiter hektisch auf sein Notebook ein und warf Dr. Railly hin und wieder wütende Blicke zu.

»Wie Sie sich erinnern«, fuhr Dr. Railly ein wenig atemlos fort, »war Cassandra, eine griechische Sagengestalt, mit dem Fluch belegt, zwar die Zukunft zu kennen, aber niemanden finden zu können, der ihren Warnungen Glauben schenkte. Daher die Qual, alles im voraus zu wissen, kombiniert mit der Unfähigkeit, irgend etwas dagegen unternehmen zu können.«

Der Vortrag widmete sich noch eine weitere Stunde

demselben Thema. Schließlich erschien ein letztes Dia auf der Leinwand: das Gesicht des Wahnsinnigen aus dem Holzschnitt, und darübergelegt das Foto des Soldaten und das zornige Gesicht des Sängers einer bekannten Rockband, die für ihre düsteren Texte bekannt war.

»Ich danke Ihnen«, sagte Kathryn, plötzlich schüchtern geworden. Sie zog den Kopf ein wenig ein und stieg vom Podium, dann eilte sie aus dem Hörsaal.

In einem kleineren Zimmer im zweiten Stock des Gebäudes hatten Mitglieder des Fachbereichs ein Büfett mit Rohkost und Dips und ein paar bereits schlaff aussehende kalte Platten vorbereitet. Kathryn griff nach einer Möhre und einem Glas Mineralwasser und setzte sich an einen Tisch vorn im Raum. Dort türmten sich Exemplare ihres Buchs mit Umschlägen in unheilverkündendem Orange und Rot, die denselben mittelalterlichen Holzschnitt des Wahnsinnigen zeigten.

Das Weltuntergangssyndrom:
Apokalyptische Visionen von Geisteskranken
von Dr. Kathryn Railly

Nur Augenblicke später kamen die ersten begeisterten Zuhörer herein. Einige versammelten sich um das Büfett, aber die meisten gingen zielstrebig auf Kathryn zu, nahmen sich Bücher und hielten sie ihr vor die Nase.

»Was für eine wunderbare Betrachtung einer solch komplizierten Thematik«, setzte eine etwas hausbackene Frau gerade an, als ein schlaksiger rothaariger Mann in Schwarz sie zur Seite schob.

»Dr. Railly«, sprach er Kathryn laut an. Auf seinem Namensschild stand in schwarzem Filzstift DR. PETERS. Seine Stimme erhob sich rauh über das allgemeine Gemurmel, als er sagte: »Ich finde, Sie haben denjenigen, die sich ernsthaft um die Zukunft sorgen, einen schlechten Dienst erwiesen. Es liegen uns sehr *wirkliche* und *überzeugende* Daten vor, daß dieser Planet die Exzesse der Menschen nicht mehr lange überleben wird: immer mehr Atomwaffen und -kraftwerke, unkontrollierte Vermehrung, die Vergewaltigung der Umwelt, Verschmutzung von Land, Meer und Luft.«

Er mußte innehalten, um Luft zu holen, und die meisten Umstehenden drifteten in Richtung Büfett davon. Nur ein paar Studenten blieben, hörten zu und nickten oder schüttelten die Köpfe.

»In einem solchen Kontext ist es nur gesund zu warnen! Die wirklich Wahnsinnigen sind doch diejenigen, die weiterleben wie bisher und auf alle Bedrohungen nur eine Antwort kennen: ›Sollen wir nicht Shopping gehen?‹«

Nachdem er diese kleine Bombe zum Platzen gebracht hatte, schenkte Dr. Peters Kathryn ein angespanntes, überhebliches Lächeln, aber bevor sie reagieren konnte, schob sich ein älterer, aufgelöst wirkender Gelehrter dazwischen.

»Dr. Railly. Bitte!« Der Mann warf ein zerlesenes Manuskript vor ihr auf den Tisch. »Ich frage mich, ob Sie meine eigenen Studien zu diesem Thema kennen, die darauf hinweisen, daß ein Zusammenhang zwischen dem Mondzyklus und dem Auftreten apokalyptischer Prognosen besteht. Die Daten wurden in Notaufnahmen städtischer Krankenhäuser –«

Kathryn schüttelte hilflos den Kopf. »Äh, nein, eigentlich –«

»Tatsächlich«, schnatterte der Mann weiter, »haben selbst Geburtskliniken in Skandinavien eine erschreckende Zunahme der…«

Kathryn Raillys Blick wurde glasig, obwohl sie weiterhin nickte und höflich vor sich hin murmelte.

»…gar nicht zu reden von dem Zusammenhang zwischen Drogenmißbrauch und Explosionen auf der Sonne, der bewußt ignoriert –«

»Kathryn –«

Eine Hand berührte ihre Schulter. Kathryn drehte sich um und seufzte erleichtert, als sie Marilou und Wayne entdeckte.

»Du warst phantastisch«, sagte Marilou. Sie warf einen mißbilligenden Blick zum Büfett, wo Dr. Peters Blumenkohlrohkost verschlang. »Wirklich, wirklich phantastisch.«

Kathryn drückte ihre Hand. »Geht ihr schon?« fragte sie und versuchte, nicht enttäuscht zu klingen.

Marilou warf ihr einen entschuldigenden Blick zu. »Wir haben für halb zehn reserviert. Wir sind schon spät dran.«

Wieder legte jemand Kathryn die Hand auf die Schulter.

»Dr. Railly!« rief der ältere Mann. »Bitte – es ist wirklich sehr wichtig!«

Wayne Chang zog ein Gesicht. »Bist du sicher, daß du zurechtkommst?« Er deutete auf den Gelehrten, der der Herzattacke nahe schien.

Kathryn lachte und sah auf ihre Uhr. »Geht ihr schon mal vor. Ich komme in zwanzig Minuten nach.«

»Also gut.« Wayne nickte und nahm Marilous Arm. »Wir überzeugen uns schon mal, ob der Champagner gut und kühl genug ist.«

Kathryn sah ihren Freunden nach, und der alte Herr begann wieder, auf sie einzureden. »Dr. Railly, ich kann einfach nicht verstehen, wieso Sie den Mond bei Ihren Ausführungen über den apokalyptischen Wahn nicht berücksichtigen…«

Seufzend wandte Kathryn sich ihm zu. »Ich habe auch den Knoblauch nicht einbezogen«, sagte sie und versuchte dann, ihre Ungeduld zu verbergen, indem sie hinzufügte: »Aber ich würde mir Ihre Thesen gern ansehen.«

Der Mann strahlte. »Vielen Dank!« sagte er. Er richtete sich auf, streckte eine gichtige Hand aus und griff nach einem Exemplar ihres Buchs. »Würden Sie mir dies dann vielleicht auch signieren? Unter Kollegen?«

Kathryn lächelte. »Selbstverständlich«, sagte sie freundlich und griff nach dem Stift.

Eine halbe Stunde später verließ sie das Hörsaalgebäude. Mehrere Angehörige des Fachbereichs Psychologie begleiteten sie nach draußen, winkten ihr noch einmal zu und gingen dann zu ihren Autos. Kathryn zog den Mantel fester um sich und wünschte sich, sie hätte einen Schal mitgebracht. Es war kalt geworden. Nur noch ein paar Wochen bis Weihnachten. Kathryn eilte über den Parkplatz zu ihrem Cherokee, einem der letzten Autos, die noch dort standen. Ihre Schritte hallten laut auf dem Asphalt, und sie blickte auf, als ein Volvo vorbeifuhr.

»Meinen Glückwunsch!« rief jemand. Kathryn winkte vergnügt, als hinter ihr die letzten gelben Lichter des Hörsaalgebäudes ausgingen. Noch ein paar Schritte, und sie war an ihrem Wagen. Sie suchte in der Handtasche nach dem Schlüssel und hoffte, daß Marilou und Wayne wirklich Champagner bestellt hatten – sie war seit ihrem Examen nicht mehr so aufgedreht gewesen. Sie schloß den Wagen auf, warf die Handtasche auf den Beifahrersitz und wollte gerade einsteigen, als ein Schatten auf sie fiel.

»Hallo –« begann sie zögernd.

Jemand packte sie fest am Hals und zog sie zurück, so daß sie kaum atmen konnte.

»Steigen Sie ein!« befahl eine heisere Stimme. Kathryn wand sich und sah einen hochgewachsenen Mann, eine Silhouette im Mondlicht. Sie konnte nicht schreien, aber sie trat nach ihm und schnappte nach Luft, als er sie auf den Fahrersitz drückte.

»Ich habe eine Pistole.«

Sie erstarrte. Der Mann warf die Fahrertür zu und stieg dann hinter ihr ein. Im Rückspiegel konnte sie nur stechende dunkle Augen in den Schatten erkennen.

»Sie – Sie können meine Handtasche haben.« Es tat weh zu sprechen, aber sie versuchte verzweifelt, das Zittern aus ihrer Stimme zu verdrängen. »Ich habe eine Menge Bargeld dabei und Kredit –«

»Lassen Sie den Motor an.«

Sie drehte sich halb um und warf ihm die Schlüssel zu. »Hier!« sagte sie verzweifelt. »Sie können die Schlüssel haben. Sie –«

Er warf sich nach vorn, packte ihr Haar und riß ihren Kopf zurück.

»Den Motor anlassen!« zischte er ihr wütend ins Ohr. »*Sofort!*«

Einen Moment später röhrte der Motor auf. Kathryn fuhr zum Ausgang des Parkplatzes. Ihre Hände zitterten. Im Rückspiegel konnte sie die flackernden Augen des Mannes sehen, als sie unter Straßenlampen hindurchfuhren.

»Ich will Ihnen nicht weh tun«, sagte er leise, mit ruhigerer Stimme als zuvor. »Aber ich werde, wenn es nötig wird. Ich habe schon anderen Leuten weh getan, wenn – *links! Biegen Sie links ab*!«

Sie riß das Steuer herum, beugte sich vor und betete, daß er sie nicht wieder an den Haaren zurückkreißen würde. Als sie einen Blick in den Rückspiegel warf, sah sie, daß er eine abgegriffene Karte aufklappte. Sein Gesicht lag meist im Dunkeln, aber hier und da erhaschte sie einen Blick auf abgetragene Kleidung, als er versuchte, die Karte im Licht der Straßenlampe zu lesen.

Nachdem ein paar Minuten vergangen waren, holte Kathryn tief Luft und fragte: »Wo… wo fahren wir hin?«

»Philadelphia.«

»Philadelphia!« Kathryn warf ihm einen verblüfften Seitenblick zu. »Aber das sind mehr als hundert Meilen!«

»Deshalb kann ich auch schlecht zu Fuß gehen«, erwiderte der Mann ohne die geringste Spur Ironie. »Hier abbiegen – glaube ich.«

Sie gehorchte und beobachtete ihn weiter im Spiegel. Als sie wieder auf die Straße sah, machte ihr Herz einen Sprung. Aus dem Dunkeln glitt ein Streifenwagen auf sie zu. Kathryn zögerte, dann schaltete sie mit einem kurzen Blick in den Spiegel die Innenbeleuchtung des Wagens ein.

»So können Sie besser sehen«, sagte sie.

Eine Faust fuhr durch die Luft und traf die kleine Lampe. Plastiksplitter rieselten auf Kathryns Schulter. Sie biß sich auf die Lippe und kämpfte gegen die Tränen an, als der Streifenwagen vorbeifuhr. Der Mann auf dem Sitz hinter ihr duckte sich und versteckte sein Gesicht, bis der Streifenwagen vorüber war. Als er sich wieder aufrecht hinsetzte, sprach Kathryn ihn an, ungeachtet des Zitterns in ihrer Stimme.

»Wenn Sie mich zwingen mitzufahren, ist das Entführung. Das ist ein Gewaltverbrechen. Wenn Sie mich gehen lassen, könnten Sie einfach den Wagen nehmen und –«

»Ich kann nicht fahren!« schrie der Mann. »Wir sind unter die Erde gezogen, als ich sechs war, das habe ich Ihnen doch gesagt. An der nächsten Kreuzung –«

Sie bremste ruckartig, drehte sich um und sah ihn zum ersten Mal richtig an.

»Cole! James Cole! Sie sind aus einem verschlossenen Raum geflohen, vor sechs Jahren!«

Ein Auto blieb hinter ihnen stehen, und der Fahrer hupte verärgert.

»1990«, zischte Cole. »Sechs Jahre her, für *Sie*. Los, weiter«, fügte er hinzu und warf einen nervösen Blick auf den Wagen hinter ihnen. »Und dann rechts abbiegen.«

Sie bog in die Einfahrt zur Schnellstraße ein. Als sie in den Rückspiegel sah, lehnte sich Cole gerade zurück, immer noch mißtrauisch. Sein Gesicht war schmutzig, in seinem kurzgeschorenen Haar hingen Erdkrümel. Kathryn zögerte, bedachte ihre Worte genau, dann sagte sie: »Ich kann nicht glauben, daß das ein Zufall ist, Mr. Cole. Haben Sie mich... *verfolgt*?«

Er hob den Kopf. Sein ausgemergeltes Gesicht erschien in dem kleinen Spiegel. »Sie haben gesagt, Sie würden mir helfen«, sagte er müde. »Ich weiß, Sie haben es anders gemeint, aber... ich bin am Ende. Ich habe kein Geld und eine Verletzung am Bein. Ich habe im Freien übernachtet.« Er hielt inne, zog eine schmerzliche Grimasse und warf ihr einen entschuldigenden Blick zu. »Tut mir leid.«

Kathryns Herz schlug wieder etwas ruhiger. Eine merkwürdige Mischung aus Verzweiflung und Wut überkam sie. »Sie *sind* mir also gefolgt, ja?«

Cole schüttelte den Kopf. »Nein. Ich hab das hier gesehen –«

Er wühlte in einer Tasche und hielt dann ein abgerissenes Stück Papier hoch – ein Flugblatt, das ihren Vortrag ankündigte. »In einem Schaufenster.« Und dann, mit offensichtlichem Stolz: »Ich kann lesen, erinnern Sie sich?«

Kathryn manövrierte den Wagen durch den dichten Verkehr. »Ja. Ich erinnere mich.« Sie biß sich auf die Lippe, dann fragte sie: »Warum wollen Sie nach Philadelphia?«

Cole griff nach ihrer Handtasche, zog sie neben sich auf den Rücksitz und begann, darin herumzuwühlen. »Ich habe die Informationen über Baltimore überprüft, und es hat nichts ergeben. Sie müssen in Philadelphia sein. Die, die es getan haben – die Zwölf Affen.«

Er beugte sich über die Rücklehne des Vordersitzes. »Haben Sie irgendwas zu Essen? Ha!« Er zeigte aufgeregt zum Armaturenbrett. »Ist das ein Radio?«

Kathryn schaltete es ein. Aus den Lautsprechern kamen Brandungsgeräusche und Möwengeschrei, dann ein sanfter Bariton.

»Das hier ist eine Nachricht nur für Sie. Sind Sie müde und abgeschlafft? Reif für die Insel?«

Cole erstarrte und hörte genau zu.

»Die Florida Keys warten auf Sie...«

Cole runzelte die Stirn, als sich das Brandungsgeräusch wieder mit Möwengeschrei mischte. Als Kathryn ihn beobachtete, spürte sie, wie sich ein Hauch Mitleid in ihr Unbehagen einschlich. Dieser Mann mit der breiten Brust, dem rasierten Schädel eines Sträflings und den

106

umschatteten Augen hatte etwas merkwürdig Kindliches an sich. Im Augenblick sah er nur verloren und völlig verwirrt aus.

»Ich hab das Meer nie gesehen!« sagte er plötzlich. Sein Blick war flehend auf das Radio fixiert, als erwartete er, daß es ihm widersprach. »Nie!«

Kathryn mußte sich anstrengen, um nicht zu lächeln. »Das war eine Werbesendung, Mr. Cole«, erklärte sie sanft. »Das verstehen Sie doch, oder? Es war nicht wirklich eine persönliche Nachricht für Sie.«

Cole sank wieder auf den Sitz. »Sie haben mich früher ›James‹ genannt«, murmelte er.

»Ist Ihnen das lieber?« Kathryn umklammerte das Lenkrad fester. »James, Sie sind doch nicht wirklich bewaffnet, oder?«

Draußen flogen endlose Reihen von Tankstellen, Einkaufszentren und Wohnsiedlungen vorbei. Der Werbeblock ging zu Ende, und die ersten Takte von »Blueberry Hill« ertönten. Cole schwieg. Als Kathryn in den Spiegel schaute, sah sie ihn völlig gebannt dasitzen, den Mund weit offen, die Augen voller Staunen.

»*I found my thri-ill…*« sang Fats Waller. Cole warf sich fast über die Rücklehne, suchte nach dem Lautstärkeregler.

»Ich stelle das mal lauter!« rief er. »Ich liebe Musik aus dem zwanzigsten Jahrhundert! Die Musik und die Luft!«

Kathryn sah ungläubig zu, als er auf den Knopf drückte, der die Scheiben bewegte. Kalte Luft drang in den Wagen, aber Cole lachte nur wie berauscht und streckte den Kopf aus dem Fenster, den Mund weit offen.

»*Luft!*« schrie er. »*Ich atme richtige Luft!*«

Am Straßenrand tauchte ein Schild auf.

Philadelphia – 1–95 – nördlich

Kathryn knabberte weiter an ihrer Lippe und beobachtete Cole, der immer noch die kalte Nachtluft genoß. *Was jetzt?* dachte sie.

»...*on Blueberry Hi-ill...*«

Abrupt brach die Musik ab. Cole riß den Kopf zurück und warf Kathryn einen anklagenden Blick zu.

»*Wir bekommen gerade eine Nachricht aus Fresno, Kalifornien*«, verkündete ein Sprecher mit ernster Stimme. »*Dort sind Polizei und Feuerwehr zu einem Maisfeld ausgerückt, auf dem eine Gruppe neunjähriger Jungen angeblich beobachtet hat, wie ihr Spielgefährte Ricky Neumann vor ihren Augen im Boden verschwand...*«

Cole schaute immer beunruhigter drein, während der Sprecher fortfuhr.

»*Der kleine Ricky ist offenbar in einen verlassenen Brunnenschacht gefallen und klemmt irgendwo in der zirka fünfzig Meter tiefen, engen Brunnenröhre, vermutlich am Leben, aber schwer verletzt. Seine Spielkameraden berichten, sie hätten ihn leise rufen hören, aber seitdem konnte man keinen Kontakt mehr mit ihm aufnehmen...*«

Cole schüttelte den Kopf. »Nie blinden Alarm geben!«

Kathryn schüttelte den Kopf und drehte das Radio leiser. »Was?«

»Das hat mein Vater immer gesagt«, erklärte Cole schulmeisterhaft. »›Nie blinden Alarm geben.‹ Sonst glaubt einem nämlich keiner mehr – wenn wirklich etwas passiert.«

Kathryn überholte einen Bus, der mit Werbung für Atlantic City beklebt war. »Wenn wirklich etwas passiert«, wiederholte sie nachdenklich. »Wie zum Beispiel was, James?«

»Etwas Schlimmes.« Cole gähnte und fuhr sich über die Stirn. »Gibt es keine Musik mehr? Ich will dieses Zeug nicht hören.«

Kathryn setzte den Sendersuchlauf in Gang, schaute in den Rückspiegel und sah, daß Cole schon wieder gähnte. Gegen ihren Willen empfand sie Mitleid mit ihm – etwas, das sie Patienten gegenüber unbedingt zu vermeiden suchte, besonders seit Fletcher sie vor sechs Jahren so eindringlich gewarnt hatte. Es war eine Sache, freundlich zu den Gestörten zu sein, mit denen man jeden Tag zu tun hatte, aber etwas ganz anderes, sich solch unvernünftige, rasch aufflackernde Emotionen zuzugestehen.

Aber er hat wirklich etwas Besonderes an sich, dachte sie. Und die letzten sechs Jahre schienen spurlos an ihm vorübergegangen zu sein. Von ein paar blauen Flecken und seiner gehetzten Miene abgesehen, war sein Gesicht so glatt wie damals, als sie ihn zum ersten Mal gesehen hatte, und seine Augen – *was für Augen!* – hatten diesen Ausdruck staunender Unschuld...

»Ist – ist etwas mit Ihnen passiert, als Sie noch ein Kind waren?« fragte sie zögernd. »Etwas so *Schlimmes...*«

Das Radio stellte sich auf einen Sender ein, und Cole setzte sich ruckartig auf. »Ooh!« rief er entzückt. Automatisch stellte Kathryn lauter.

»Since I met you baby, my whole life has changed...«

Mit ekstatischem Blick steckte Cole wieder den Kopf zum Fenster hinaus. Kathryn gestattete sich ein Lächeln, als sie sah, daß er gegen ein weiteres Gähnen ankämpfte und es zu einem breiten Grinsen verzog.

»Ja, ich mag das auch ganz gern«, murmelte sie, aber Cole hörte sie nicht.

»...'cause since I met you baby, all I need is you...«

Sie passierten ein einsam gelegenes Motel, das ganz in Rosa angestrahlt war. Sie waren aus der Stadt heraus. Am Himmel über ihnen glitzerten die Sterne. Über dem westlichen Horizont hing der Mond wie ein Kußmund, als der Cherokee weiterraste und das Radio Versprechen von sich gab, die es nicht halten konnte. Cole hielt den Kopf aus dem Fenster, seine müden Augen glitzerten und er war so glücklich wie noch nie in seinem erbärmlichen Leben.

Am nächsten Morgen wartete Marilou Martin vor dem Haus, in dem Kathryn Railly wohnte, den Parka fest um sich gewickelt, und wischte sich hin und wieder die Augen. Sie schrie leise auf, als ein Streifenwagen vorfuhr.

»O Gott, danke, daß Sie gekommen sind –«

Die Polizisten nickten mit ernsten Mienen und betraten

zusammen mit Marilou das Gebäude. Dort wartete schon der Hausmeister auf sie, ein graugesichtiger Mann, der ihnen Kathryns Wohnung aufschloß und dann ohne ein weiteres Wort wieder verschwand. Marilou eilte ins Zimmer und hob rasch eine miauende Katze hoch.

»O Carla«, murmelte sie. »Du armes Ding!«

Die Katze schrie kläglich, als Marilou zu Kathryns Anrufbeantworter ging. Die Polizisten folgten ihr und sahen sich mißtrauisch um. Die Katze sprang aus Marilous Armen, stolzierte in die Küche und maunzte hungrig. Marilou schaltete den Anrufbeantworter ein und starrte ihn grimmig an, als die erste Nachricht ablief.

»Dr. Railly, hier ist Wykke von der Psychiatrie-Aufnahme. Heute nachmittag war ein Kerl hier und hat nach Ihnen gefragt. Er machte einen *sehr* aufgeregten Eindruck. Wir haben versucht, ihn dazubehalten, aber er hat sich geweigert, und ich dachte nur dauernd, irgendwoher *kenne* ich den Kerl doch! Und vor ein paar Minuten ist es mir eingefallen – es war Cole, *James Cole*! Erinnern Sie sich an ihn? Den Paranoiden, unseren Entfesslungskünstler, der vor sechs Jahren aus dem verschlossenen Raum verschwunden ist? Also, er ist offenbar wieder da, verrückt wie eh und je, und er ist auf der Suche nach Ihnen. Ich dachte, das sollten Sie lieber wissen.«

Klick. Die Polizisten wechselten einen Blick. Marilou war blaß geworden.

»Wie ich Ihnen schon gesagt habe«, erklärte sie mit zitternder Stimme, »mein Mann und ich haben in diesem Restaurant auf sie gewartet, aber sie ist nicht gekommen. Und sie würde uns *nie* so einfach versetzen – nicht, ohne anzurufen oder –«

Einer der Cops unterbrach sie. »Wissen Sie, was für ein Auto sie fährt?« fragte er und zückte sein Notizbuch.

»Äh – einen Cherokee. Einundneunziger Modell, nein zweiundneunzig. Silberfarben.« Ihr Blick fiel auf die Katze, die jämmerlich um ihren leeren Freßnapf herumtanzte. »Und die Katze verhungert ja schon! Sie würde *nie* ihre Katze vernachlässigen –«

Die Polizisten nickten. Einer nahm Marilou am Arm und schob sie zur Tür. »Würde es Ihnen etwas ausmachen, einen Moment mit uns aufs Revier zu kommen? Ich würde Ihre Aussage gern aufnehmen.«

Marilou starrte ihn verwirrt an, dann nickte sie. »Lassen Sie mich nur erst meinen Mann anrufen«, sagte sie, verkniff sich die Tränen und griff nach dem Telefon.

Die Flughafenhalle ist jetzt leer, bis auf den Jungen und den stolpernden blonden Mann. Eine Hand hat er auf sein buntes Hawaiihemd gedrückt, Blut sickert ihm zwischen den Fingern durch, und ein paar hellrote Tropfen fallen wie Blütenblätter zu Boden. Während der Junge ihn noch anstarrt, kommt plötzlich die blonde Frau angerannt, den Mund weit aufgerissen, und sie streckt die Arme nach dem Mann aus. Der Junge schüttelt den Kopf, verwirrt, aber auch auf eine Art aufgeregt, von der er weiß, daß das nicht sein sollte.

Weil sie ihn an jemanden erinnert, bis auf das honigfarbene Haar und den grell geschminkten Mund – aber dennoch, er kennt sie, er hat sie schon irgendwo gesehen. Ihr Mund steht offen, und jetzt kann er sie hören, er erkennt ihre Stimme, als sie an ihm vorbei auf den blutenden Mann zurennt.

»Meine Zeitmaschine ist bereit für ein Experiment. Ich brauche nur noch jemanden – jemanden –«

Er erwachte und setzte sich auf, schwer atmend. Er saß auf einem breiten Bett, auf dem immer noch die abgewetzte Chenille-Tagesdecke mit dem Emblem HIGHWAYS & BYWAYS MOTEL lag. Vor ihm auf dem verschneiten Bildschirm tauchte ein faltiger, kahlköpfiger Mann mit einem weißen Schnurrbart auf und zeigte auf ein Loch in der Wand, über dem TIME TUNNEL stand.

»Jemanden… ah, WOODPECKER!«

Cole sah fasziniert zu, als Woody Woodpecker über den Bildschirm stakste.

»He da! Woodpecker!«

»Bitte binden Sie mich los.«

Cole starrte noch einen Augenblick lang den Fernseher an, dann drehte er sich um.

»Bitte«, wiederholte Kathryn Railly erschöpft.

Er hatte ihr die Jacke nach hinten über die Arme gezogen und die Ärmel festgebunden. Kathryn hatte dunkle Ringe unter den Augen, ihr Haar hing ihr unordentlich auf die Schultern. Sie sah aus, als hätte sie geweint. »Es ist furchtbar unbequem.«

Cole sah sie an. Er spürte ein leichtes Kribbeln zwischen den Schulterblättern und schauderte. Dann sagte er: »Ich habe gerade von Ihnen geträumt. Ihr Haar –«

Sie zuckte zurück, als er die Hand nach ihrem Gesicht ausstreckte, aber er strich ihr nur eine Strähne aus der Stirn. »Es war anders. Aber ich bin sicher, daß Sie es waren.«

Kathryn nickte, dann seufzte sie. »Wir träumen von allem, was für unser Leben wichtig ist. Und ich bin in Ihrem derzeit offenbar sehr wichtig.«

Cole ließ die Hand einen Augenblick auf ihrer Stirn liegen. Einen Moment lang dachte sie, er werde sie losbinden, aber statt dessen wandte er sich ab, stand mit gequälter Miene auf, hinkte ins Bad und stolperte über leere Hamburger-Kartons.

Kathryn rang ihre Verzweiflung nieder. »Worum ging es denn in dem Traum?« rief sie hinter ihm her.

Er blieb in der Tür zum Bad stehen und drehte sich zu ihr um. Wieder war sie fasziniert von seinen Augen, von diesem harmlosen, kindlichen Blick. »Um einen Flughafen«, sagte er. Er hob die Hand und bewegte sie langsam vor seinem Gesicht, wie ein Flugzeug. »Bevor alles passiert ist. Es ist immer wieder derselbe Traum. Ich bin darin noch ein Kind.«

Kathryn nickte und wand sich, wodurch sie sich zum Kopfende des Betts schob. »Und ich war auch da?« fragte sie und versuchte, nicht professionell, sondern nur neugierig zu klingen. »Was habe ich denn getan?«

Cole starrte nachdenklich an die Decke. »Sie waren sehr aufgeregt.« Einen Augenblick lang traf sein Blick den ihren. »Sie sind in diesem Traum immer sehr aufgeregt, aber bisher war mir nie klar, daß *Sie* es sind.«

Kathryn stöhnte gereizt. »Weil ich es vorher nicht *war*, James! Ich habe jetzt nur diese Rolle übernommen, wegen... wegen dem, was passiert ist. *Bitte*, binden Sie mich los!« flehte sie.

Cole schüttelte den Kopf. »Nein«, sagte er vage und ging ins Bad, ließ aber die Tür offen. »Ich glaube, Sie sind es schon immer gewesen. Sehr merkwürdig.«

»Sie sind ganz rot im Gesicht«, rief Kathryn ihm nach – die Psychologin hatte sich einen Moment über die gefesselte und ängstliche Frau hinweggesetzt und die unnatürliche Farbe von Coles Wangen bemerkt, das Glitzern seiner Augen. »Ihr Bein ist verletzt. Und Sie haben im Schlaf gestöhnt. Ich glaube, Sie haben Fieber.«

Cole tauchte wieder auf, rieb sich das Gesicht mit einem Handtuch. Ohne in Kathryns Richtung zu schauen, warf er das Handtuch auf den Boden und nahm dann ihre Handtasche vom Nachttisch.

»Was machen Sie da?« wollte Kathryn wissen. Cole holte mehrere Geldscheine heraus, ließ die Handtasche wieder fallen und ging zur Tür.

»Ich bin gleich wieder da.«

»Nein! Lassen Sie mich nicht so hier liegen!« Kathryn wand sich hilflos auf dem Bett, als die Tür hinter ihm ins Schloß fiel. Tränen liefen ihr über die Wangen. Im Fernsehen begannen die Nachrichten, und ein Sprecher sah sie vom Bildschirm her distanziert, aber besorgt an.

»...und in Fresno, Kalifornien, wird weiterhin versucht, den neunjährigen Ricky Neumann zu retten...«

»Verdammt noch mal«, stöhnte Kathryn und setzte sich mühsam auf, nur, um wieder zurückzufallen.

»...der gestern mit anderen Kindern Ball spielte, als er plötzlich vom Erdboden verschwand. In Baltimore wird die bekannte Psychiaterin Kathryn Railly, die Autorin eines jüngst erschienenen Buchs über Wahnsinn, vermißt. Sie verschwand am Vorabend nach einem Vortrag an der Universität.«

Kathryn erstarrte. Auf dem Bildschirm war jetzt ein Foto von James Cole vor sechs Jahren zu sehen. Die Kamera hatte ihn mit weit aufgerissenen, leer starrenden Augen erwischt, sein Mund war leicht geöffnet. Kathryn spürte, wie ihr kalt wurde, und sie versuchte sich zu erinnern, wo sie einen solchen Gesichtsausdruck schon einmal gesehen hatte – in einem Buch oder einer Zeitschrift, die sie auf dem College gelesen hatte.

»Die Polizei sucht in Zusammenhang mit Dr. Raillys Verschwinden nach einem ehemaligen Patienten der Psychiaterin, James Cole.«

Plötzlich fiel es ihr ein, und eine Eisspitze bohrte sich in ihre Wirbelsäule: *Helter Skelter.* Ein Gerichtsfoto von Charles Manson – derselbe stechende und dennoch leere Blick, der verzogene Mund, es hätte eine Grimasse oder Hohn sein können, oder schlimmer, ein Lächeln.

»...*die Polizei warnt, daß Cole zur Gewalttätigkeit neigt.*«

Ein leises Geräusch ließ sie aufschreien. Sie blickte auf und sah Cole in der Tür stehen; er hatte die Arme voller Chipstüten und Wasserdosen.

»Nun«, sagte er und starrte das gehetzte Gesicht auf dem Bildschirm an. »Ich glaube, es ist Zeit weiterzufahren.«

Die staubigen Straßen und Felder des ländlichen Maryland rauschten vorüber, während der Cherokee eine Nebenstraße nach der anderen hinter sich brachte. Kathryn saß hinter dem Steuer, mit steinernem Gesicht, kämpfte gegen ihre Erschöpfung an und hoffte, daß es Cole nicht auffiel. Sie strich eine Haarsträhne aus der Stirn und warf dem Mann auf dem Beifahrersitz einen Blick zu. »Glauben Sie wirklich, die Polizei würde uns nicht finden, nur weil wir Nebenstraßen benutzen?«

Cole blickte nicht auf. Er verfolgte mit dem Finger eine blaue Linie auf der Landkarte. »Wir müssen die, äh, Route 121 A finden«, sagte er zerstreut.

Kathryn zog eine Grimasse, als ein Steinchen gegen die Windschutzscheibe knallte. »Nur, weil hier nicht so viele Streifenwagen unterwegs sind, bedeutet das noch nicht, daß sie uns nicht erwischen. Früher oder später –«

Cole blickte auf, und seine Augen flackerten im weichen Morgenlicht. »Sie haben es immer noch nicht kapiert, wie? So was wie *später* gibt es nicht mehr.«

Er streckte die Hand aus und schaltete das Radio ein. Gitarrenklänge ertönten. »Ich liebe Musik.« Er sah regelrecht ehrerbietig aus, als er die Karte hinlegte, neben den Sitz griff und ein paar alte Zeitungen zutage förderte.

Kathryn warf einen Seitenblick auf den chaotischen Papierstapel. »Was ist denn das?«

»Notizen. Beobachtungen. Hinweise.«

»Hinweise? Was für Hinweise?«

Cole strich ein Stück Zeitung glatt, das mit Kritzeleien überzogen war. »Auf eine Untergrundorganisation«, sagte er. »Die Armee der Zwölf Affen. Ich hab Ihnen davon erzählt. Sie werden den Virus verbreiten. Ich muß sie finden. Das ist mein Auftrag.«

Aha, dachte Kathryn und bremste ein wenig, um den Wagen heil über eine Querrinne zu manövrieren. *Und ich bin Mutter Teresa.* »Und was werden Sie tun«, fragte sie zögernd, »wenn Sie diese... Untergrundorganisation finden?«

Cole verzog frustriert das Gesicht. Unter seinen Händen riß die vergilbte Zeitung an einem der zahlreichen Knicke. »Nichts. Ich kann überhaupt nichts *tun.* Ich muß sie nur *lokalisieren,* weil sie den Virus im Ursprungsstadium brauchen, bevor er mutiert.« Seine Stimme klang jetzt wie die eines Schulkinds, das etwas auswendig Gelerntes wiederholt. »Wenn ich den Virus *lokalisiert* habe, schicken sie einen *Wissenschaftler* her. Der *Wissenschaftler* wird den Virus *untersuchen,* und wenn er in die Gegenwart zurückkehrt, werden er und die *anderen* Wissenschaftler ein *Heilmittel* entwickeln. Und dann können alle, die überlebt haben, wieder auf die Erdoberfläche zurückkehren.«

Ein wenig atemlos hielt Cole inne und sah Kathryn mit glänzenden Augen an. Sie starrte grimmig auf die Straße, ihre Miene ungläubig versteinert. Alle neu erwachte Hoffnung wich aus Coles Blick. Wütend wandte er sich von ihr ab, starrte aus dem Fenster und sah gerade noch, wie ein Kombi aus einer Einfahrt auf die Straße bog. Dad fuhr, Mom saß neben ihm und hatte den Sonntagslippenstift aufgelegt. Auf dem Rücksitz rutschten drei Kinder in Flanelljacken auf eine Seite, um Cole zuzuwinken. Er winkte finster zurück, dann blickte er Kathryn wieder an.

»Nächsten Monat werden Sie nicht mehr denken, daß ich verrückt war. Dann werden die ersten sterben. Zunächst wird man behaupten, es sei ein Fieber. Dann werden sie langsam anfangen zu begreifen, weil sich immer mehr anstecken.«

Er lehnte sich zurück und starrte wütend auf das Radio. Seine Züge wurden hart, als die Gitarrenmusik plötzlich abbrach und eine plötzliche Stille eintrat, wie sie immer einer Sondermeldung vorausgeht.

»Wir unterbrechen das Programm für eine Sondermeldung. Mindestens fünfzig Polizisten aus drei Gemeinden, unterstützt von Spezialeinheiten, wurden mobilisiert, um eine wachsende Menge von inzwischen über siebenhundert Schaulustigen unter Kontrolle zu halten, die sich in Fresno, Kalifornien, versammelt haben, wo die Rettungsaktionen

für den neunjährigen Ricky Neumann weiterhin fortdauern.«

Cole stieß einen langgezogenen Pfiff aus. Kathryn verringerte die Geschwindigkeit fast auf Schritttempo und sah ihn an, die Brauen fragend hochgezogen. Er zuckte mit den Achseln.

»Ich dachte, es ginge um uns.« Er fing an, die Papiere mit seinen ›Hinweisen‹ zusammenzusuchen. »Ich dachte, sie hätten mich vielleicht gefunden und verhaftet oder so.« Kathryn starrte ihn weiter an, bis Cole sich schließlich demonstrativ wieder der schmalen Straße zuwandte, die vor ihnen lag.

»Nur ein Witz«, murmelte er.

»Bisher sind die Rettungseinheiten einschließlich der Sonarspezialisten der Marine nicht imstande gewesen, den Jungen in dem fünfzig Meter tiefen Brunnenschacht zu lokalisieren. Aber ein Tontechniker eines Fernsehteams, der ein extrem empfindliches Mikrophon in die enge Röhre hinuntergelassen hat, behauptet, er habe in etwa zwanzig Metern Tiefe Atemgeräusche wahrnehmen können.«

Angewidert drückte Cole einen Knopf und suchte, bis er einen Sender mit Musik fand. Kathryn beobachtete ihn. Der Wagen holperte über die mit Schlaglöchern übersäte Straße an braunen, steinigen Feldern entlang, auf denen Kühe faul an dem leicht von Reif überzogenen Gras knabberten.

»Beunruhigt Sie das, James?« fragte sie schließlich.

»Wenn Sie an den kleinen Jungen im Brunnenschacht denken?«

Cole schüttelte den Kopf. Er starrte die Kühe an, seine Miene war undurchdringlich. »Als ich ein Kind war, habe ich mich mit dem kleinen Jungen im Brunnen identifiziert. Dreißig Meter tief, ganz allein, und er weiß nicht, ob sie ihn retten können…«

Kathryn hätte ihn am liebsten geschlagen. »Was meinen Sie mit ›als ich ein Kind war‹?«

Cole seufzte. »Keine Sorge. Es ist nichts passiert. Es war nur ein Scherz. Er versteckt sich in einer Scheune – *He!*«

Er schrie so laut auf, daß Kathryn vor Schreck viel zu weit nach rechts zog. Beinahe wären sie im Graben gelandet.

»Links abbiegen. *Links!*«

Kathryn biß die Zähne zusammen und lenkte den Wagen wieder auf die Straße zurück, dann bog sie links ab. Ein paar Minuten später waren sie auf einer Hauptstraße, und eine weitere Stunde später hatten sie die Außenbezirke von Philadelphia erreicht. Am Horizont schimmerten die Hochhäuser der Stadt im klaren Licht eines schneefreien Wintermorgens. Trotz der Kälte saß Cole am offenen Fenster, mit dem grimmigen Blick eines Rottweilers, der von der Leine gelassen werden will.

»Also gut«, sagte Cole gereizt. Er blätterte schnell seine Papiere durch, bis er eine kleine Karte der Innenstadt fand, die von einem Autoverleih stammte. Er brütete darüber, rief Kathryn barsch Befehle zu und wies sie erst in eine Industriestraße, dann in die nächste, bis sie in einem ausgesprochen trübseligen, heruntergekommenen Stadtviertel waren. Ein paar müde Stadtstreicher saßen vor einem langgezogenen Gebäude, zu ihren Füßen leere Flaschen. Papiertüten und Styroporbecher wurden vom kalten Wind ziellos hin- und hergefegt. Kathryn zog die Nase kraus; durch Coles offenes Fenster drang der Gestank von Urin und der unangenehme Chemiegeruch brennender Spanplatten herein. Halb abgerissene Plakate flatterten an leeren Schaufenstern und verrosteten Straßenschildern. An einer Ecke stand ein Mann mit wirrem Blick, der die ausgefransten Reste eines Bademantels um sich gewickelt hatte, und fuchtelte mit einer Taschenbuchausgabe der Bibel herum.

»Üble Vorzeichen und Prophezeihungen zuhauf! Uns steht eine Zeit schrecklicher Pestilenz und technologischer Schrecken bevor!«

Der Cherokee kam beinahe zum Stehen, als Kathryn an Cole vorbei zum Beifahrerfenster hinaussah, erschrocken über die hagere Gestalt. Mit seinem verwüsteten Gesicht, dem wirren Haar und dem tollwütigen Blick sah er dem Mann aus dem mittelalterlichen Holzschnitt, der auf dem Einband ihres Buchs abgebildet war, zum Verwechseln ähnlich. Hinter ihm hockte sich eine ausgemergelte Frau auf den Bürgersteig und urinierte.

»›Und eine der vier Gestalten gab den sieben Engeln sieben goldene Schalen voll vom Zorn Gottes, der da lebt von Ewigkeit zu Ewigkeit!‹ Offenbarung!« Vor- und rückwärts schwankend, schrie der Mann diese Worte beinahe triumphierend heraus und breitete die Arme zum weit entfernten blauen Himmel aus.

»Irgendwo hier in der Nähe«, murmelte Cole und brachte Kathryn wieder auf die Erde zurück. »Ich glaube, wir müssen einfach –«

Sie trat mit aller Kraft auf die Bremse, ihr Herz klopfte heftig. Vor dem Auto stand ein alter Mann, der die Hände vors Gesicht geschlagen hatte, als wollte er sich vor einem Schlag schützen. Zu seinen Füßen war eine halbleere Mülltüte umgekippt und spuckte leere Flaschen und Dosen aus.

»O Gott, ich hätte ihn beinahe überfahren!« keuchte Kathryn. »Armer Kerl!«

Sie holte noch mehrmals tief Luft, um sich zu beruhigen, während der Mann seine Pfandflaschen wieder einsammelte.

»Arm!« knurrte Cole bitter. »Er hat die Sonne, er hat Luft zum Atmen. Es könnte ihm erheblich schlechter gehen.«

Hinter ihnen erklang eine Hupe. Kathryn schaute in den Rückspiegel und sah einen schwarzen BMW, der den Cherokee gerade überholte. Als sie auf gleicher Höhe waren, bremste der Fahrer, lehnte sich aus dem Fenster und schrie: »*Mach, daß du von der Straße kommst, du Arschloch!*«

Der alte Mann bückte sich mühsam, hob die letzte Flasche auf, und der BMW raste vorbei. Coles Bitterkeit verwandelte sich in Wut.

»Ihr Idioten!« tobte er und schlug mit der zusammengefalteten Karte aufs Armaturenbrett. »Ihr lebt im Paradies, und ihr merkt es nicht einmal. Ihr seht nicht mal mehr den Himmel. Ihr habt nicht die geringste...«

Seine Stimme brach, und er ließ den Arm aus dem Fenster hängen. »Ihr spürt nicht mal mehr die Sonne. Ihr schmeckt das Wasser nicht mehr, und die frische Luft.« Der Cherokee setzte sich wieder in Bewegung. Coles Stimme klang jetzt regelrecht ehrfürchtig. »*Ihr habt noch richtiges, in der Sonne gewachsenes Essen!* Das wird alles verschwinden, und – MOMENT! *HALT!* HIER – GLEICH HIER!«

Kathryn lenkte den Cherokee zum Rinnstein, hielt an, und Cole sprang aus dem Wagen und rannte auf die graffitibedeckte Wand zu. »Kommen Sie schon!« schrie er, ohne sich umzusehen. Kathryn rührte sich nicht, sie streckte nur die Hand aus und zog die Beifahrertür zu. Ihre Hand ging zum Schaltknüppel, sie spürte das Gaspedal unter ihrem Fuß, aber sie fuhr immer noch nicht weiter, sondern starrte geradeaus.

In dreißig Sekunden kann ich hier weg sein, dachte sie. *In fünf Sekunden. Es muß hier irgendwo ein Polizeirevier geben, oder eine Telefonzelle. Ich muß nur 911 wählen, und dann ist alles vorbei...*

Er stand vor der Wand eines halb eingestürzten Gebäudes, kümmerte sich nicht um den Müll, der hier knöcheltief lag. Mit weit gespreizten Fingern tastete er über die schmutzigen Backsteine, zupfte an Überresten älterer Plakate und spähte gebannt darunter. Er sah aus wie ein starr-

sinniger Archäologe vor den Grundmauern einer Tempel-
ruine, der nach der verlorenen Hieroglyphe sucht, die all
seine wahnsinnigen Theorien beweist. Kathryn tippte mit
dem Fuß aufs Gaspedal. Der Motor heulte ungeduldig auf,
aber sie konnte immer noch nicht losfahren.

Cole verlangsamte seine Suche. Er zupfte vorsichtig erst
ein Plakat von der Wand, dann ein weiteres. Kathryn
konnte einen roten Klecks sehen, nicht einmal die Arbeit
eines Graffitikünstlers, sondern etwas, das mit einer Schablone gesprüht worden war, die Farbe halb verdeckt von
Schmutz und Papierfetzen. Wie eine Schlafwandlerin
drehte sie den Zündschlüssel um, stieg aus dem Wagen und
trat schweigend neben Cole.

»Ich hatte recht!« Seine Stimme zitterte vor Aufregung.
Er drehte sich nicht um. »*Ich hatte recht!* Sie sind *hier!*«

Kathryn starrte erst die Wand, dann Cole an. Ihr Herz
floß über vor Mitgefühl.

Mein Gott, er ist wirklich vollkommen verrückt! Sie
streckte eine Hand aus, um ihn sanft an der Schulter zu
berühren, aber bevor sie das tun konnte, wirbelte er herum.

»Sehen Sie!« schrie er begeistert. Er zeigte auf die
schmutzigen Ziegel. »Die zwölf Affen!«

Kathryn holte Luft. »Ich sehe einen Rest roter Farbe,
James. Ein paar Kleckse.«

»Kleckse? *Kleckse?*« Seine Stimme wurde schrill. Er riß
mehr Plakate ab, warf die Fetzen zur Seite und suchte wieder hektischer. »Sie glauben, das sind bloß Kleckse?«

»James – bitte, ich möchte Ihnen *helfen…*«

125

Wieder fuhr er herum, packte sie an den Handgelenken. Kathryn versuchte, sich loszumachen, aber er zerrte sie zu sich hin, dicht genug, daß sie seine blutunterlaufenen Augen sehen konnte, weit aufgerissen und zu glänzend, wie ein Methylfreak nach einem Dreitagetrip.

»Nein – rennen Sie nicht weg. Tun Sie nichts *Verrücktes*«, stotterte er. »Sonst... sonst tue ich jemandem weh.«

Kathryn sprach betont ruhig – sie war froh, daß er nicht merken konnte, wie ihr das Herz bis zum Hals schlug. »Ich werde nichts Verrücktes tun, James. Aber nichts von dem da ist, was Sie denken –«

Von hinten kam ein Rascheln. »Du kannst dich nicht vor ihnen verstecken, Bob«, raunte eine Stimme.

Cole fuhr herum und ließ Kathryns Hand los.

»Nein, Bob, alter Junge – versuch's erst gar nicht.«

Ein Obdachloser stand vor ihnen, in einem Trenchcoat, der vor lauter Schimmel und Dreck beinahe schwarz war. Cole starrte ihn entsetzt an.

Diese Stimme! Die Stimme aus seiner Zelle, die jetzt vertraulich weiterkrächzte, als der Mann mit dem Finger drohte.

»Sie können alles hören«, flüsterte der Mann. Seine verschwiemelten Äuglein glitzerten boshaft. »Sie haben was, mit dem sie dich verfolgen können. Und sie können dich überall wiederfinden. Zu jeder Zeit. *Ha!*« Er gackerte, und dann ging sein Lachen in einen Hustenanfall über. Cole sah verblüfft zu, als die gespenstische Erscheinung sich näher zu ihm beugte.

Das Husten ließ nach, und der Mann tippte sich an die Wange. »Im Zahn, Bob, stimmt's?« Er grinste triumphierend. »Aber ich hab sie an der Nase rumgeführt, alter Kumpel...«

Er riß den Mund weit auf – eine geschwürbedeckte Höhle. »*Keine Zähne mehr!*«

Mit einem letzten höhnischen Blick stolperte der Mann davon. Cole und Kathryn starrten ihm hinterher. Plötzlich packte Cole Kathryn und zerrte sie in die nächste Gasse.

»Was *machen* Sie denn?« protestierte Kathryn; ihre Handtasche schlenkerte an ihrer Seite.

»Sie beobachten mich«, sagte Cole leise. Sie sah ihn an: Die Begegnung mit dem Obdachlosen hatte ihn offenbar zutiefst erschüttert.

»Wer soll Sie denn beobachten, James?«

Er zog sie dichter zu sich heran; sie taumelten zusammen durch ein Meer von Plastiktüten, Glasscherben und durchweichtem Papier.

»Der Mann mit der Stimme!« zischte Cole. »*Sie!* Leute aus der Gegenwart. Warum bloß?« fragte er in gekränktem Ton. »Ich tue nur, was ich tun soll. Sie müssen mir nicht nachspionieren. Sie –«

Er blieb abrupt stehen. Kathryn fiel nach vorn, konnte sich aber noch fangen, bevor sie in einem Haufen zerbrochener Bierflaschen landete. Ihre Handtasche fiel zu Boden. Kathryn griff danach, und als sie sich wieder aufrichtete, sah sie, wie Cole die Wand anstarrte. Auf der Wand

127

war ein weiteres Graffiti zu sehen: das Schablonenbild eines Kreises mit zwölf tanzenden Affen darin.

»*Sie sind hier!*« Cole war entzückt. Er zog Kathryn mit sich die Gasse entlang, den Blick weiter auf die Mauern fixiert. Kathryn hatte keine Wahl, sie mußte ihm folgen; sie schrie auf, als ein Stück Draht ihr ins Bein schnitt und sah zu, wie Cole hektisch weiter die Wände absuchte. Es gab jede Menge Graffiti – meist Obszönitäten und ein paar müde Versuche politischer Parolen wie BEFREIT N'BERO JETZT! und JA ZU SARAJEVO! Kathryn blickte nervös über die Schulter. Sie waren jetzt tief in der Gasse, die Öffnung zur Hauptstraße sah aus wie ein winziger heller Mund in der übelriechenden Dunkelheit. Kathryn schrie auf, als Cole wieder abrupt an ihrem Arm riß und sie in einen dunklen Hauseingang zerrte. Dort lehnten zwei halb bewußtlose Frauen und zogen an Crackpfeifen.

»James, *nein*!« Kathryn nahm all ihre Kraft zusammen und blieb stehen. »Wir sollten uns hier nicht aufhalten –«
Er ignorierte sie und zog sie durch die Tür. Etwas huschte in die Schatten. Der Boden unter ihren Füßen fühlte sich schwammig an, überall lagen verrottende Lumpen herum. Kathryn hätte sich fast übergeben wegen des Gestanks nach fauligem Wasser und des stechenden Geruchs von Crack. Cole stürmte wie ein Besessener durch den finsteren Flur, aber schließlich blieb er stehen. Vor ihnen auf der Wand war ein weiteres Bild der zwölf tanzenden Affen, diesmal offensichtlich mit einem Pinsel aufgemalt. Rote Farbe war die Wand heruntergelaufen und auf

den Boden gespritzt. Kathryn sah nach unten, dann hob sie langsam wieder den Kopf. Erschrocken riß sie die Augen auf.

»James«, flüsterte sie heiser.

Kaum drei Meter entfernt traten zwei schattenhafte Gestalten auf eine dritte ein, die sich am Boden krümmte. Beim Geräusch von Kathryns Stimme blickte einer der beiden auf und gab dem anderen einen Stoß. Beide Männer starrten erst Kathryn, dann Cole an. Sie wechselten einen Blick und bewegten sich ohne ein Wort auf sie zu.

»James!« wiederholte Kathryn drängend. »*Wir müssen raus hier! Diese Männer –*«

Zu spät. »He, Kumpel«, sagte der größere der beiden. Verblüfft starrte Cole ihn an, während der andere sich auf Kathryns Handtasche stürzte und sie ihr entriß.

»Nein!« schrie sie.

Mit einem Grunzen versuchte Cole, dem Mann die Tasche abzunehmen, aber –

Wack! Etwas zischte über seine Wange. Kathryn schrie laut auf, diesmal verzweifelter. Wie betäubt hob Cole eine Hand zum Gesicht und starrte dann das Blut an, das er an den Fingern hatte. Bevor er reagieren konnte, grub sich etwas Kaltes, Hartes in seine andere Wange. Aus dem Augenwinkel konnte Cole eine metallisch glänzende Pistole sehen, die so billig wie eine Spielzeugwaffe glitzerte.

Kathryn unterdrückte einen weiteren Schrei und versuchte zu fliehen. Doch bereits nach zwei Schritten hatte der zweite Mann sie niedergeschlagen.

»Bleib hier, du Miststück«, sagte er und lächelte. Er beugte sich über sie und zog am Reißverschluß seiner Hose. Kathryn blickte sich entsetzt um, sah, wie Cole auf die Knie sank.

»Bitte!« winselte er und hob jämmerlich flehend die Hände. »Bitte tun Sie mir nichts.«

Der Mann starrte ihn an. Er trat dichter an Cole heran, verpaßte ihm einen verächtlichen Tritt und hatte den Fuß gerade zu einem zweiten Tritt gehoben, als Cole sich plötzlich reckte und die Arme um die Unterschenkel des Mannes schlang. In einer einzigen fließenden Bewegung hatte er seinen Gegner zu Boden gerissen.

Die Pistole ging los, und im Echo des Schusses ging Coles wütendes Brüllen beinahe unter. Er stolperte nach vorn und rammte den Mann gegen die Ziegelwand. Es krachte wie Stein gegen Stein, als der Kopf des Mannes gegen die Wand knallte. Der Mann sackte zusammen, die Pistole fiel ihm aus der schlaffen Hand.

»Äh, später, Lady.« Der zweite Mann zog hastig den Reißverschluß wieder hoch. Bevor er fliehen konnte, war Cole über ihm und drosch wild auf ihn ein. Der Mann taumelte, blutend und benommen. Cole verpaßte ihm einen letzten Hieb, dann wandte er sich wieder dem ersten Angreifer zu und sah, daß dieser nach der Pistole langte.

Ohne ein Wort trat Cole ihn hart ins Gesicht. Kathryn preßte sich die Hände auf den Mund, als sie sah, wie der Kopf des Mannes nach hinten gerissen wurde.

»O Gott«, flüsterte sie. Sie hörte ein leises *Pop,* als hätte jemand auf einen dünnen Zweig getreten. Der Mann brach vor der Wand zusammen. Kathryn sah sich ängstlich um und bemerkte, daß der zweite Mann unsicher den Flur entlang davonhumpelte, ein Arm baumelte nutzlos an seiner Seite. Als sie sich wieder umdrehte, ragte Cole über ihr auf. Er wirkte jetzt nicht mehr nur wie ein gefährlicher Irrer; mit seinem blutigen Gesicht, dem grimmigen Blick und der billigen Pistole in seiner riesigen Hand machte er einen absolut mörderischen Eindruck.

»Sind Sie verletzt?« fragte er und steckte die Pistole in die Tasche. Er klang, als habe er Schmerzen beim Reden.

Kathryn kam taumelnd auf die Beine. »Äh, nein. Ja –« Sie warf einen Blick auf ihren zerrissenen Rock; sie hatte Blutflecken an den Manschetten ihrer Bluse. »Nur ein paar Kratzer –«

Er hörte nicht mehr zu. Statt dessen hatte er sich über die reglose Gestalt am Boden gebeugt und kämmte rasch die Taschen des Mannes durch. Er holte eine Brieftasche heraus, eine Handvoll Munition; einen Schlüssel warf er in die Ecke, die anderen Gegenstände steckte er in die eigene Tasche.

»Ist er… Ist er noch am Leben?« hauchte Kathryn.

Cole warf ihr einen kalten Blick zu. »Kommen Sie.« Er stand auf und riß sie mit sich. Kathryn warf einen Blick zurück und sah zum ersten Mal die Augen des Mannes am Boden, weit aufgerissen und mit einer feinen Schmutzschicht überzogen.

»O Gott, James! Sie haben ihn umgebracht…«

131

Cole blickte sie kalt an. »Ich habe ihm einen Gefallen getan. Und jetzt kommen Sie.«

Er zog sie den Flur entlang, an einem weiteren hellroten Kreis mit grinsenden Affen vorüber. Vor ihnen schimmerte ein Licht und verlieh der Spur roter Farbe, die sich über den Boden zog, etwas Fröhliches, Lebhaftes.

»Sie hatten vorher gar keine Pistole, nicht wahr?« fragte Kathryn mit matter Stimme.

»Jetzt habe ich eine«, erwiderte Cole und zog sie auf das Licht zu.

Draußen schien die Wintersonne hell auf einen weiteren schäbigen Wohnblock. Cole ließ Kathryn nicht los; sie rannte keuchend hinter ihm her, er hatte den Kopf gesenkt und folgte der Spur aus Tropfen roter Farbe. Die wenigen Leute, die auf der Straße waren – schäbig gekleidete Männer und eine hohläugige Frau, die laut vor sich hin fluchte und ihren Kopf gegen den Pfosten einer Straßenlampe rammte – nahmen keine Notiz von ihnen. Cole lief weiter, und Kathryn mußte sich anstrengen, mit ihm Schritt zu halten, bis sie schließlich um eine Ecke bogen und sich beide wieder vor demselben wildgewordenen Prediger fanden, der jetzt auf einem Haufen zerbrochener Ziegel stand und heiser in den bleichen Himmel schrie.

»»Und der siebente Engel goß aus seine Schale in die Luft, und es ging –‹ *He! Ihr da!*«

Der Mann erstarrte, stieß einen unmenschlichen Schrei aus und zeigte dann auf Cole. »DU BIST EINER VON UNS!«

132

Kathryn schauderte, aber Cole konzentrierte sich weiter auf die Farbspur, die jetzt beinahe unter der dicken Patina von Dreck und Müll auf dem Bürgersteig verschwand. Aber sie war immer noch da, schwach, aber sichtbar, und Cole bewegte sich schnell weiter, den Kopf gesenkt, seine freie Hand zuckte nervös.

Plötzlich blieb er stehen. Kathryn trat erschöpft neben ihn.

»Und was –«

Sie standen vor einer ehemaligen Metzgerei, einem vernagelten Schaufenster, das jetzt mit bunten Tierrechtlerplakaten beklebt war. Oberhalb des Schaufensters war ein verblaßtes Schild zu sehen:

Iaconos
Fleisch und Geflügel
auch koscher

Ein neueres Schild, handgemalt in demselben grellen Rot der nun verblaßten Spur, verkündete: Gesellschaft zur Befreiung der Tiere. Die Tür des Ladens bestand aus schwerem, dickem Glas, das zerbrochen und ungeschickt mit Klebeband repariert war. Drinnen saßen drei Personen auf Klappstühlen in einem vollgestopften, unordentlichen Zimmer. Ihre Stimmen drangen durch das gebrochene Glas; sie stritten sich, während sie offenbar versuchten, einen Stapel Papier, der auf dem Fußboden lag, zu sortieren.

»Also, Fale, ich finde, das hier wäre erheblich einfacher, wenn wir es einfach Kinko überließen«, klagte eine junge Frau. Sie hatte langes, strähniges, schwarz gefärbtes Haar und trug einen Ring in der Nase und lila Lippenstift. »Dann wär es nämlich –«

Neben ihr verdrehte ein totenbleicher junger Mann die Augen. »Schon gut, Bee«, sagte er und äffte ihre nasale Stimme nach. »Wir haben nur leider kein *Geld*.« Der hochgewachsene, muskulöse junge Mann neben ihm nickte ernst. Er hatte den Kopf kahlgeschoren und eine Eidechsentätowierung.

»Ja«, stimmte er zu. »Und nicht nur das –«

Ohne Kathryns Handgelenk loszulassen, schob Cole die Tür auf und trat ein. Drinnen konnte man das Geräusch heftigen Regens hören. An den Kachelwänden mit tausend Sprüngen waren Plakate befestigt, die blutende Katzen und Schimpansen mit weit aufgerissenen, ängstlichen Augen zeigten. Der Boden war bedeckt mit Flugblättern und Broschüren, die Fotos weiterer Grausamkeiten enthielten. Als Cole und Kathryn über Kartons und Bücher stiegen und näher traten, blickten die drei jungen Leute verblüfft auf. An der Wand hinter ihnen hing ein riesiges Poster, das verkündete: AUCH TIERE HABEN SEELEN. Cole sah sich erstaunt um, da das Regenprasseln lauter wurde; alle zuckten zusammen, als ein schreckliches Donnern ertönte. Ein Dschungelvogel schrie. Cole zog Kathryn dichter an sich und warf einen unsicheren Blick über die Schulter.

»Äh, können wir irgendwas für Sie tun?« Fale blinzelte

134

hektisch, wie ein Nachttier, das nicht ans Tageslicht gewöhnt ist.

Cole zögerte verwirrt. Das Regengeräusch wurde schwächer, dann hörte man plötzlich das Trompeten eines Elefanten.

»Schon gut, James«, murmelte Kathryn. »Das ist nur ein Tonband.« Sie zeigte auf einen Kassettenrecorder, über dem ein Plakat hing: DIE ECHTE WELTMUSIK.

Cole nickte, schluckte nervös und wandte seine Aufmerksamkeit wieder den drei Tierrechtlern zu. »Ich, äh, ich suche nach der Armee der Zwölf Affen.«

Fale sah erst Bee an, dann den Skinhead. »Äh, Teddy?« sagte er und zog fragend die Brauen hoch.

Auf dem Band begannen Affen zu schnattern, während sich der Mann mit dem rasierten Schädel erhob. Er war riesig, größer als Cole, und sein T-Shirt spannte sich über einen muskulösen Oberkörper. »Wir wissen nichts über eine ›Armee der Zwölf Affen‹. Wieso verschwinden Sie und Ihre Freundin nicht wieder?« Er lächelte unheilverkündend und zeigte auf die Tür.

Ein Löwe brüllte, als Cole zurückwich und Kathryn mit sich zog. »Ich bräuchte nur ein paar Informationen.«

Teddy schüttelte den Kopf. Von seinem Ohr baumelte ein kleiner Plastikgorilla. »Haben Sie mich nicht verstanden? Wir wissen nichts –«

Er erstarrte, als Cole die Pistole auf ihn richtete. Kathryn schüttelte den Kopf und schrie: »James, nein! Tun Sie ihnen nicht weh –«

Sie wandte sich den drei jungen Leuten zu. Cole hatte sie immer noch fest an der Hand gepackt. »Bitte! Ich bin Psychiaterin. Tun Sie einfach, was er Ihnen sagt«, flehte sie. »Er ist – außer sich. *Verstört.* Bitte! Er ist gefährlich – tun Sie einfach, was er sagt.«

Ein Tiger fauchte und Affen schnatterten wild, als Teddy zurückwich. Hinter ihm wühlte Fale wild in seinen Jeanstaschen.

»Was wollen Sie – Geld? Wir haben nur ein paar Dollar.«

Cole schüttelte den Kopf, hatte plötzlich sein Selbstvertrauen wiedergefunden. »Ich habe euch gesagt, was ich will.« Er ließ Kathryns Hand los und fuchtelte ihr bedrohlich mit der Pistole vor dem Gesicht herum. »Schließen Sie die Tür ab.«

Kathryn holte tief Luft. »James, warum –«

»Abschließen! *Sofort!*«

Sie eilte zur Tür. Bee, die auf dem Boden saß, wandte sich Fale zu und jammerte: »Ich hab dir doch gesagt, daß dieser Dreckskerl Goines uns in so was reinziehen würde.«

»*Goines?*« Cole starrte sie an.

»*Jeffrey* Goines?« wiederholte Kathryn verwundert.

Cole zielte erst auf Teddy, dann auf die anderen. »Also gut«, sagte er ein wenig atemlos. »Es gibt da offenbar einiges, worüber wir reden müssen. Gehen wir…« Er zeigte auf eine Tür, die zu einem Hinterzimmer führte. »Los.«

Die Tür führte in eine leere Vorratskammer. Cole stocherte zwischen Kisten und leeren Dosen herum, bis er ein

Ende Kabel fand, dann befahl er Kathryn, die drei in der Mitte des Raums zusammenzubinden.

»Also gut«, sagte er wieder und hielt die Waffe auf Teddy gerichtet. »Und jetzt erzählt mir von den Zwölf Affen.«

Sie berichteten, unterbrachen einander und schwiegen nur kurz, wenn Cole sie bat, etwas zu wiederholen.

»...und dann ist Jeffrey so was wie ein... ein Star geworden...« erklärte Fale eifrig. »Die Medien haben sich auf ihn gestürzt, weil er auf seinem Vater herumgehackt hat, dem berühmten Virologen, dem Nobelpreisträger. Das müssen Sie doch auch im Fernsehen gesehen haben.«

Ohne aufzublicken sagte Cole: »Nein. Ich sehe nicht fern.« Er fuhr fort, einen Stapel Papiere durchzublättern, den er neben der Tür gefunden hatte, während Kathryn hilflos zusah. Plötzlich runzelte er die Stirn, zog ein Foto heraus und starrte es an. Das Foto zeigte einen distinguiert aussehenden Mann, den Polizisten durch einen Mob wütender Demonstranten eskortierten. Über dem Foto stand »Dr. Leland Goines«.

»Das Dia«, murmelte er. Dann wandte er sich an Fale: »Ist er das? Dr. Goines?«

Fale nickte. »Das ist er.«

Bee wand sich verzweifelt. »Was werden Sie mit uns machen?«

Cole ignorierte sie und studierte weiter das Foto. »Erzählen Sie mir mehr von Jeffrey«, sagte er leise.

Fale warf seinen Freunden einen Seitenblick zu und

zuckte resigniert die Achseln. »Jeffrey hat sich bald gelangweilt mit dem Mist, den wir hier machen – Mahnwa-
chen, Flugblätter, Unterschriften sammeln. Er sagte, wir
seien« – Fale hielt inne, als Teddy ihm einen grimmigen
Blick zuwarf – »unnütze liberale Wichser. *Er* wollte Gue-
rillaaktionen durchführen, um die Öffentlichkeit zu ›er-
ziehen‹.«

Langsam legte Cole das Foto von Leland Goines wieder
zurück und griff nach einem Zeitungsausschnitt mit einem
Bild von entsetzten Senatoren, die auf ihre Schreibtische
geklettert waren, um den Klapperschlangen auf dem Boden des Plenarsaals zu entgehen. Er hielt es Fale fragend
vor die Nase.

»Genau.« Fale nickte und konnte sich ein Grinsen nicht
verkneifen. »Damals hat er hundert Klapperschlangen im
Senat losgelassen.«

»Aber wir wollten so was nicht«, warf Teddy ein. »Es
schadet nur, haben wir ihm gesagt.«

Fale nickte. »Also haben er und elf andere sich abge-
spalten und diese… Untergrundarmee gegründet.«

»›Die Armee der Zwölf Affen‹«, sagte Cole.

Zum ersten Mal meldete Bee sich zu Wort: »Sie hatten
eine ›Menschenjagd‹ geplant.«

»Sie haben sich Betäubungsgewehre und Bärenfallen besorgt«, fuhr Teddy fort, »und wollten auf der Wall Street
Anwälte und Bänker fangen.«

»Aber dann haben sie es doch nicht getan«, meinte Bee.
»Sie haben überhaupt nichts unternommen.«

Teddy schüttelte den Kopf. »Genau. Es war wie immer: Der große Star hat seine Freunde verraten.«

Cole richtete seinen glühenden Blick auf Fale. »Was soll das heißen?«

»Er ist im Fernsehen aufgetreten«, erklärte Fale schnell, »hat eine Konferenz gegeben und der ganzen Welt erzählt, daß ihm gerade klargeworden ist, wie wichtig die Experimente seines Daddys für die Menschheit seien und Tierversuche absolut notwendig und daß er, Jeffrey Goines, von nun an persönlich die Laboratorien überwachen werde, um dafür zu sorgen, daß die armen kleinen Tiere nicht mehr leiden müssen.« Fale blickte zu Cole auf, noch bleicher als zuvor. »Können wir... werden Sie uns jetzt laufen lassen?«

Cole wandte sich ab, griff nach einem vollgepackten Pappkarton und begann, darin herumzuwühlen. Einen Augenblick später hielt er eine Rodolex-Kartei hoch. »Was ist das da?«

Die drei wechselten besorgte Blicke. »Äh, das ist eine Rollkartei«, sagte Teddy. »Sie wissen schon, für Telefonnummern und so.«

Cole blätterte die Kärtchen durch, hielt inne und sah sich eine davon genauer an. »Jeffrey Goines«, las er vor. »Wer von euch hat ein Auto?«

Schweigen.

»Ich habe gefragt, wer von euch –«

»Ich!« schrie Fale. Er wand sich, so daß er mit dem Kinn auf die Tasche seiner Jeans zeigen konnte. »Die Schlüssel sind da drin – ein alter Jag –«

Cole nahm die Schlüssel. Ohne einen weiteren Blick auf die drei ging er zu Kathryn, die in einer Ecke kauerte, und riß sie auf die Beine. »Kommen Sie.«

»Wo wollen Sie hin?« jammerte Bee. »Sie können uns doch nicht hierlassen…«

Kathryn warf ihnen einen mitleidigen Blick zu. *O ja, das kann er sehr wohl*, dachte sie und folgte Cole nach draußen.

Sie fanden Fales Auto, einen verbeulten Jaguar, der mit Unmengen Aufklebern bestückt war: ICH BREMSE AUCH FÜR TIERE – BEFREIT DIE TIERE! WÜRDEN SIE EINEN NERZ IHRE HAUT TRAGEN LASSEN? Cole schob Kathryn hinters Lenkrad und stieg dann selbst ein. Sie steckte den Schlüssel ins Zündschloß. Mit einem ekelhaft mahlenden Geräusch setzte der Wagen sich in Bewegung.

Kathryn konzentrierte sich grimmig auf die Straße. Aus dem Radio kam leise Country & Western-Musik, traurige Balladen. Schließlich sagte Kathryn mit angespannter Stimme: »Sie können zu einem Mann wie Dr. Goines nicht einfach reinplatzen, James. Er ist sehr bekannt, er war schon öfter Ziel von Protesten der Tierrechtler, er hat bestimmt Wachmänner und Alarmanlagen. Das wäre… Wahnsinn.«

Cole schwieg, studierte weiter die Karte auf seinem Schoß und bewegte den Kopf im Takt der Musik. Sein Gesicht glühte fiebrig, und Schweißperlen standen ihm auf der Stirn. Neben der Karte hatte er die Rodolex-Kartei, die an einer vielbenutzten Stelle aufgeklappt war: JEFFREY GOINES C/O DR. LELAND GOINES, 27 OUTERBRIDGE ROAD.

»Und diese jungen Leute«, fuhr Kathryn fort, »könnten in dieser Vorratskammer umkommen!«

Cole schaute aus dem Fenster und betrachtete den entgegenkommenden Verkehr: Familien, die aus der Kirche zurückkamen, Lkws, zwei Jungen auf einem Motorrad, ein Kleinbus voll lachender Kinder.

»Ich sehe hier nur Tote«, sagte er müde. »Überall. Was machen da drei mehr schon aus?«

Kathryn kämpfte den Impuls nieder, ihn anzuschreien, und packte statt dessen das Lenkrad fester. *Reiß dich zusammen, Railly*, dachte sie. Sie blieb an einer roten Ampel stehen und sah zu, wie ein junges Mädchen einen Kinderwagen über die Straße schob. Als die Ampel auf Grün schaltete, fuhr sie weiter. Sie beschloß, eine andere Taktik zu versuchen.

»Sie kennen seinen Sohn Jeffrey, nicht wahr?« fragte sie. »Als Sie vor sechs Jahren in der Psychiatrie waren, war Jeffrey Goines auch für ein paar Wochen dort Patient.«

Cole starrte weiter auf die Karte. »Der Kerl war vollkommen übergeschnappt.«

»Und er hat Ihnen gesagt, sein Vater sei ein berühmter Virologe?«

Cole verfolgte mit dem Finger eine schwarze Linie, die mit OUTERBRIDGE ROAD beschriftet war. »Nein«, sagte er und schüttelte den Kopf. »Er hat mir gesagt, sein Vater sei *Gott*.«

Die Banjomusik wurde abrupt für eine Nachrichtenmeldung unterbrochen. »*Die Polizei hat gerade bestätigt, daß die bekannte Psychiaterin und Autorin Dr. Kathryn Railly von einem gefährlichen Psychiatriepatienten namens James –*«

Schweigend stellte Cole einen anderen Sender ein. Er rutschte unbehaglich auf dem Sitz hin und her und verfolgte anhand der Straßenschilder ihren Weg auf der Karte. Kathryn sah, wie er gequält zusammenzuckte, wenn er sein Bein bewegte. Zum ersten Mal bemerkte sie einen dunklen Fleck unterhalb des Knies.

»Was ist denn mit Ihrem Bein passiert?«

Cole zuckte die Achseln. »Bin angeschossen worden.«

»Angeschossen!« Sie sah ihn an, bemerkte, wie rot sein Gesicht war, wie er schwitzte, auch am Hals und an den Armen.

»Es war eine Art Krieg.« Einen Augenblick lang glaubte sie, er würde das näher erklären, aber statt dessen sagte er: »Egal. Sie würden mir sowieso nicht glauben – he! Was machen Sie da?«

Sie hatte den Blinker gesetzt und zog auf die rechte Spur rüber. Vor ihnen lag eine Tankstelle, daneben befand sich ein Gemischtwarenladen. »Wir brauchen kein Benzin!« fauchte Cole und beugte sich hinüber, um auf die Tankanzeige zu schauen.

»Ich dachte, Sie könnten nicht fahren!«

»Ich habe gesagt, ich war zu jung, um fahren zu lernen«, meinte Cole. Er legte die Hand ans Lenkrad. »Ich habe nicht behauptet, daß ich zu *dumm* war.«

Kathryn bremste und hielt vor dem kleinen Laden an. »James, so kann es nicht weitergehen. Ihnen geht es nicht gut. Sie glühen ja vor Fieber! Ich könnte Ihnen helfen, wenn ich die nötigen Medikamente hätte.«

Sie stellte den Motor ab, aber sie drehte sich zu Cole um und sah ihn flehend an. »Bitte, James«, flüsterte sie.

Er erwiderte ihren Blick, sah ihre hellen Augen, die so müde waren, das Haar, das ihr strähnig in die glatte Stirn fiel. Langsam ließ er das Steuer los und lehnte sich zurück.

»Also gut«, murmelte er und schloß einen Augenblick lang die Augen. »Also gut.«

Am späten Nachmittag waren sie vierzehn Meilen weiter nördlich in einem Wald. Bleiches Sonnenlicht fiel durch die kahlen Eichenkronen. Die Luft roch süß nach Laub, Eicheln und klarem, sauberem Wasser. Am Himmel zog ein Schwarm Wildgänse nach Süden, deren Schreie noch in der Luft hingen, als sie schon lange außer Sichtweite waren.

Cole war ausgestiegen, lehnte an einem Felsen und blickte zum Himmel hoch. Er trug nur sein zerrissenes Flanellhemd und Boxershorts; seine Hose hing über der offenen Tür des Jaguar, neben einer Tasche mit Mull und Pflaster. Kathryn hockte vor ihm und verband ihm das Bein. Ihre Berührung war sanft, aber fest; er erinnerte sich, daß sie behauptet hatte, Ärztin zu sein, eine richtige Ärztin.

»So. Sie sollten es aber nicht belasten.« Kathryn erhob sich wieder. Sie zeigte ihm die Kugel, wickelte sie dann in ein Stück Mull und steckte sie in die Tasche. Cole warf ihr einen Blick zu und schaute dann wieder zum Himmel auf.

»Ich liebe die Sonne.« Er blinzelte und genoß die flüchtige Wärme auf seinen Wangen. Dann beugte er sich seufzend vor. Er nahm seine Hose von der Wagentür, versuchte, sie anzuziehen und wäre beinahe hingefallen.

»Warten Sie – ich helfe Ihnen.«

Kathryn legte den Arm um ihn und hielt ihn fest, während er die Hose hochzog. Cole lehnte sich an sie an und schloß die Augen.

»Sie riechen so gut«, murmelte er.

Sie sah ihn an. Er öffnete die Augen, und sie begegnete seinem Blick, sah, wie sich Zweige, der Himmel, eine winzige Sonne und ihr eigenes Gesicht in seinen Augen spiegelten. Ihr Mund wurde trocken und sie spürte, wie sie rot wurde, als er die Hand ausstreckte, ihre Wange berührte und eine Strähne ihres dunklen Haars zurückstrich.

»Sie... Sie werden sich stellen müssen, das wissen Sie«, sagte sie mit zitternder Stimme.

Cole blinzelte. Sein Blick wurde hart und verlor das kindliche Staunen. Er biß die Zähne aufeinander.

»James, bitte!« flehte sie. »Wenn Sie doch nur –«

Sie hielt erschrocken inne, als sich seine Hand so fest um ihr Handgelenk schloß, daß sie nach Luft schnappte.

»Es tut mir wirklich leid«, sagte er. Aber es lag keine Wärme in seiner Stimme, als er sich umdrehte und sie wieder ins Auto schob. »Ich muß das tun. Ich habe eine Aufgabe zu erledigen.«

Einen Augenblick später sprang der Jaguar stotternd an, und sie fuhren wieder auf die Straße zurück.

Es war Abend, als sie die Outerbridge Road erreichten. Sie kamen an Bauernhöfen und Maisfeldern vorüber. Von den Fenstern strahlte gelbes Licht in den Winterabend hinaus. Schließlich hielten sie vor einer hohen Steinmauer und einem Tor mit der Nummer 27. Weitab von der Straße war ein hell erleuchtetes Haus zu sehen, ausgedehnter Rasen und Ahornbäume davor. In der Einfahrt und am Straßenrand standen diverse Luxuslimousinen. Cole entdeckte mehrere uniformierte Wachmänner, die in der Einfahrt patrouillierten, sich per Sprechfunk verständigten und Gäste zum Parken einwiesen.

»Fahren Sie weiter«, sagte Cole angespannt.

Sie fuhren noch ein paar hundert Meter. Dann wies Cole Kathryn an, links abzubiegen.

Kathryn schüttelte den Kopf. »Links? Aber da ist nichts außer –«

»*Abbiegen.*«

Vom Straßenrand zog sich eine kleine Lichtung ein Stück weit in den Wald hinein. Die schlanken Stämme von Espen und Sumach glänzten leicht im Mondlicht. Mit einem Ächzen verließ der Jaguar die Asphaltstraße und rumpelte über das holprige Feld, bis Cole sagte: »Anhalten.«

Kathryn stellte den Motor ab. »Sie können doch wirklich nicht –«

Aber er war bereits draußen und hinkte schnell zur Fahrertür. Er riß sie auf, zerrte Kathryn heraus und steckte die Schlüssel des Jaguar ein.

»Was *machen* Sie denn da?«

Schweigend zerrte er sie zum Kofferraum und riß den Deckel auf.

»Nein – James, *nein!*«

Immer noch ohne ein Wort packte er sie, stieß sie in den Kofferraum und warf den Deckel zu. Ihre gedämpften Schreie folgten ihm, als er begann, zur Straße zurückzuhinken.

»*James!*«

Er blieb schwer atmend stehen und sah über die Schulter; dann kehrte er langsam und entschlossen wieder zum Auto zurück, die Fäuste geballt. Einen Moment später war er wieder auf dem Weg zur Straße. Nachdem er etwa hundert Meter zurückgelegt hatte, kletterte er über die Mauer und schlich vorsichtig weiter unter den Bäumen hindurch, bis er die Einfahrt zum Haus der Goines' sehen konnte. Hier standen inzwischen noch mehr Autos, und zwei athletisch aussehende Männer in schwarzen Anzügen machten wachsam die Runde. Nur hin und wieder blieben sie stehen, um sich Zigaretten anzuzünden. Cole wartete, bis sie am abgelegenen Ende des improvisierten Parkplatzes waren, dann eilte er halb geduckt und ungelenk unter den Bäumen hervor und zog eine schmerzerfüllte Grimasse, als er mit dem verletzten Bein über einen Stein stolperte. Eine Minute später lag er unter einem roten Mercedes; das Herz klopfte ihm bis zum Hals, und er atmete schwer.

»Glaubst du, sie finden ihn?«

Cole duckte sich ganz flach. Kies bohrte sich in seine Brust und seine Arme, drückte quälend gegen Kathryns Bandage an seinem Bein. Ein paar Schritte entfernt, nah genug, daß Cole ihn hätte packen können, wenn er gewollt hätte, blieb einer der Männer stehen. Cole sah zu, wie der Mann mit glänzenden schwarzen Schuhen einen Kieselstein wegstieß und dann eine Zigarettenkippe austrat.

»Wen finden?« Ein zweites Paar Füße gesellte sich zu dem ersten.

»Diesen Jungen. In der Brunnenröhre.«

Der zweite Mann lachte. »Kaum zu glauben, wie? Sie lassen einen Affen runter, mit einer kleinen Infrarotkamera um den Hals und einem Roastbeefsandwich in Alufolie.«

Der andere lachte ebenfalls. »Das ist nicht dein Ernst!«

»Ohne Flachs.« Cole atmete erleichtert auf, als die Stimmen leiser wurden und die Füße sich im Schatten am anderen Ende der Einfahrt verloren. »Mann, das ist wirklich verrückt! Ein Affe und ein Sandwich.«

Ohne einen Laut rollte Cole unter dem Mercedes vor und kroch unter den Wagen davor. Er behielt das kleine erleuchtete Rechteck im Auge, den Hintereingang des großen Hauses. Er bemerkte nicht, daß seine Pistole im Kies unter dem Mercedes liegengeblieben war.

Jeffrey Goines saß im Eßzimmer und hörte grinsend der Ansprache seines Vaters zu. Es waren etwa vierzig Gäste versammelt, alle in Smokings und Abendkleidern, und das Meer von Schwarz war nur hin und wieder von einem paillettenbesetzten Kleid oder einem aufblitzenden roten Kummerbund unterbrochen. Jeffrey nippte an seinem Champagner und warf einen sehnsüchtigen Blick auf das unberührte Dessert der Frau, die neben ihm saß – die magersüchtige Frau eines Industriellen, ein ehrgeiziges Model, das vielleicht hundert Pfund wog, wenn man die Diamanten an ihrem Hals mitrechnete. Jeffrey spielte mit dem Gedanken, sich ihren Teller einfach zu *nehmen* – es war wirklich eine Sünde, Schokoladenmohrenköpfe so zu verschwenden, von Raouls köstlichem Himbeertrifle gar nicht zu reden.

Gelächter brachte ihn dazu, seine Aufmerksamkeit wieder dem Kopf des Tisches zuzuwenden, wo Leland Goines stand, eine eindrucksvolle Gestalt in seinem Smoking, über einsachtzig groß und breitschultrig, silbernes Haar und eisblaue Augen. Leland wartete, bis das Lachen verklungen war, dann fuhr er mit tiefer, wohlklingender Stimme fort.

»Ich wünschte, ich könnte dieses opulente Abendessen und diese hervorragende und stimulierende Gesellschaft einfach nur mit Ihnen genießen«, sagte er und umfaßte alle am Tisch mit großer Geste. »Aber ich bin mir bewußt, daß dieser Überfluß an öffentlicher Aufmerksamkeit, diese Kakophonie von Lobgesängen, eine große Verantwortung mit sich bringt. Tatsächlich spüre ich jedesmal, sobald ich irgendwo länger als ein paar Minuten stehe, wie unter meinen Sohlen Seifenstücke wachsen.«

Noch mehr wissendes Gelächter der Gäste. Jeffrey bleckte die Zähne zu einem falschen Lächeln.

»Oh, ha«, sagte er, hob die Gabel und spießte entschlossen den Mohrenkopf vom Teller seiner Nachbarin auf.

»Über die Gefahren der naturwissenschaftlichen Forschung ist wahrhaftig schon viel geredet worden«, fuhr Dr. Goines fort, »seit Prometheus den Göttern das Feuer stahl, bis hin zu Dr. Strangeloves Schrecken aus den Tagen des kalten Kriegs.«

Am gegenüberliegenden Ende des Raums trat ein Mann im schwarzen Anzug ein, der eine verärgerte Miene zur Schau trug. Er ließ den Blick über die Reihen der andächtigen Gesichter am Tisch schweifen. Schließlich entdeckte er, wen er suchte.

»Mr. Goines«, erklang es leise hinter Jeffrey.

Jeffrey schluckte hastig die Schokolade, tupfte sich mit einer Serviette den Mund ab und reckte den Hals, um zu sehen, wer da etwas von ihm wollte.

»Ja?«

Der schwarzgekleidete Mann flüsterte Jeffrey etwas ins Ohr. Am Kopf des Tisches kam Leland Goines langsam in Fahrt; er hob und senkte die Stimme mit der Begeisterung eines Predigers.

»Aber noch nie zuvor – nicht einmal, als die Wissenschaftler in Los Alamos Wetten abschlossen, ob die ersten

Atombombentests New Mexico von der Landkarte tilgen würden – hat die Naturwissenschaft uns so viel Anlaß gegeben, unsere eigene Macht zu fürchten.«

Jetzt war Jeffrey an der Reihe, den Mann hinter sich ungläubig und verärgert anzuschauen. »Wovon reden Sie da?« sagte er laut. »Was für ein Freund? Ich erwarte niemanden.«

Einige der Gäste wandten sich neugierig um. Dr. Goines verzog das Gesicht, ungehalten über die Störung. Er fuhr mit erhobener Stimme fort.

»Die derzeitigen gentechnischen Experimente und meine eigene Arbeit mit Viren haben uns erschreckende Macht in die Hände gegeben –«

Mit einem entschuldigenden Blick zu seiner Tischnachbarin stand Jeffrey auf. »Lächerlich«, murmelte er. Sein Stuhl quietschte, und im Aufstehen schob Jeffrey versehentlich einen Dessertlöffel vom Tisch. »Mein Vater hält gerade eine *wichtige Ansprache*.«

Er folgte dem Mann in den matt erleuchteten Flur, der zur Bibliothek führte. »Und außerdem«, fügte er hinzu, »dachte ich, es wäre die Sache von euch Geheimdienstfritzen, die Leute zu überprüfen.«

Der Agent starrte entschlossen geradeaus. »Normalerweise hätten wir jeden, der hier ums Haus schleicht und sich nicht ausweisen kann, auch einfach in die Mangel genommen, aber der hier behauptet, er kennt Sie –« der Agent grinste höhnisch, »und da Sie ja offenbar einige… äh, *ungewöhnliche*, äh… Bekannte haben, wollten wir nicht aus Versehen einen ihrer, äh, *besten Freunde* verhaften.«

Die schweren Mahagonitüren der Bibliothek standen offen und lenkten den Blick auf ein mannshohes Blumenarrangement aus orangefarbenen, feuerroten und gelben Lilien. Nur die indirekte Beleuchtung war eingeschaltet und hob eine Reihe mittelalterlicher Buchillustrationen und eine Glasvitrine mit seltenen Büchern hervor. James Cole saß in einem lederbezogenen Ohrensessel am Kamin und starrte zu Boden. Seine Arme und sein Flanellhemd waren mit Dreck und Motoröl verschmiert. Hinter ihm stand ein weiterer schwarzgewandeter Agent und bewachte ihn. Jeffrey ging auf Cole zu und zupfte zerstreut an seiner Fliege. Er sah den Mann im Sessel nur flüchtig an und drehte sich dann wieder um.

»Den hab ich noch nie gesehen«, sagte er, unterdrückte ein Gähnen und warf den beiden Agenten noch einen wütenden Blick zu. »Und jetzt gehe ich zurück und höre mir den Rest der Ansprache meines Vaters über die Gefahren der Naturwissenschaft an, und *Sie können diesen Eindringling hier zu Tode foltern* – oder was immer Sie normalerweise mit solchen Leuten machen.« Er ging auf die Tür zu.

Cole hob den Kopf. »Ich bin wegen der Affen hier.«

Jeffrey erstarrte. Einen Augenblick lang schwieg er. Und dann: »Entschuldigen Sie, was haben Sie gesagt?«

»Affen«, wiederholte Cole und stand auf. »Zwölf Affen, um genau zu sein.«

Jeffrey sah Cole forschend an. Plötzlich stieß er einen Schrei aus, rannte zurück zum Sessel und umarmte Cole.

»Arnold! *Arnold!*«

Cole starrte ihn verblüfft an. Die beiden Agenten taten dasselbe. Jeffrey trat einen Schritt zurück, die Hände immer noch auf Coles Armen, und betrachtete ihn genauer. »Mein Gott, Arnie, was ist denn mit dir passiert? Du siehst ja beschissen aus!«

Einer der Agenten betrachtete ihn mißtrauisch. »Sie *kennen* diesen Mann?«

Jeffrey warf ihm einen wütenden Blick zu. »Aber selbstverständlich. Was glauben Sie denn – daß ich alle Fremden so begrüße?« Er wandte sich wieder Cole zu. »Mein Gott, Arnie, das hier ist ein offizielles Diner! Ich mag ja gesagt haben, komm einfach mal vorbei, aber Dad gibt eine große Gesellschaft. VIPs, Senatoren, Geheimagenten als Wachmänner – ein Mordsgetue.«

Er legte Cole einen Arm um die Schulter – womit er ihn beinahe aus dem Gleichgewicht gebracht hätte – und führte ihn auf die Tür zu. Die beiden Agenten wechselten einen abschätzenden Blick.

»Arnie?« wiederholte einer von ihnen.

Jeffrey schenkte ihm ein liebenswertes Lächeln. »Arnold Pettibone. Der gute alte Arnie Pettibone«, sagte er vergnügt und gab Cole einen Schubs. »War mal mein bester Freund. Und ist es immer noch.« Er zwickte Cole in die Wangen. »Wieviel hast du abgenommen, Arnie – vierzig

Pfund? Kein Wunder, daß ich dich nicht erkannt habe. Hast du Hunger?«

Mit einem Grinsen führte Jeffrey ihn in die Halle. Cole hinkte neben ihm her und mußte sich hin und wieder mit der Hand an der Wand abstützen, wobei er eine Reihe von Flecken hinterließ. »Wir haben hier *Unmengen* zu essen«, plapperte Jeffrey weiter. »Berge von toten Kühen, Schafen und Schweinen. Ein richtiges *Mords*fest ist das.«

Die Geheimagenten sahen ihnen nach, als sie den Flur entlanggingen, Cole in seinen Lumpen gestützt von Jeffrey im Smoking.

»Diese Leute hier – das sind wirklich Spinner!«

Der andere Agent nickte ernst. »Ich werde mal eine Beschreibung von diesem ›Pettibone‹ durchgeben. Behalt ihn lieber im Auge. Paß auf, daß er keinen der illustren Gäste mit einer Gabel ersticht.«

Am Ende der Halle kamen die ersten Gäste aus dem Eßzimmer. Cole starrte sie voller Panik an, aber Jeffrey winkte ihnen fröhlich zu.

»Wirklich nett, Sie zu sehen! Sie sehen großartig aus! Hallo! Lange nicht mehr gesehen...«

Er manövrierte Cole geschickt durch die Menge und auf eine große, geschwungene Treppe zu, die bis hinauf in den zweiten Stock des Hauses führte. Hinter ihnen bewegte sich der Agent vorsichtig durch die Scharen elegant gewandeter Menschen und beobachtete Jeffrey und Cole mißtrauisch.

»...ja, ist lange her, wirklich! Hallo, meine Liebe!« Jeffrey winkte mit der freien Hand einer Dame zu, dann richtete er sein strahlendes Lächeln auf Cole. »Psychiatrie, nicht wahr?« flüsterte er aufgeregt. »1990. Eine unglaubliche Flucht aus einem verschlossenen Raum.«

Cole schüttelte den Kopf. »Hören Sie, ich kann Sie nicht von dem abhalten, was Sie vorhaben. Ich kann nichts ändern. Ich kann Sie nicht aufhalten. Ich brauche nur ein paar Informationen.«

Jeffrey nickte eifrig. »*Wir müssen uns unbedingt unterhalten*«, sagte er und klang plötzlich wie ein Verschwörer. »Komm mit nach oben –«

Ein Gast beäugte sie neugierig, als Jeffrey Cole die Treppe hinaufführte. Jeffrey blieb stehen und riß die Arme triumphierend nach oben.

»Ich bin ein ganz neuer Mensch!« rief er. »Ich bin vollkommen angepaßt! Sieh dir nur diesen Smoking an«, er zupfte stolz an den Aufschlägen, »vom *Designer*.« Der Gast eilte in die entgegengesetzte Richtung, und Jeffrey beugte sich dicht zu Cole vor.

»Wer hat denn nicht die Klappe halten können?« flüsterte er. »Bruhns? Weller?«

Coles Blick glühte genauso wie der Jeffreys. »Ich brauche nur Zugang zu dem Virus im Ausgangsstadium, das ist alles!« sagte er verzweifelt. »Für die Zukunft!«

Jeffrey blieb stehen. Er kniff die Augen ein wenig zusammen und sah Cole noch einmal prüfend an. Er bemerkte die angespannte Miene, die zerrissenen Kleidungsstücke, das verletzte Bein.

»Komm schon«, sagte er schließlich kopfschüttelnd. »Du siehst nicht gerade gut aus.«

Cole ließ sich von Jeffrey führen, aber er warf mehrmals einen Blick nach unten, wo die Menge jetzt auseinanderdriftete. Neben der Eßzimmertür standen die beiden Geheimagenten und starrten Cole mit unverhohlenem Interesse an. Er holte tief Luft und wandte sich wieder Jeffrey zu.

»Ich muß wissen, wo er ist und was es genau ist.«

Jeffrey nickte aufgeregt. »Ich verstehe! Dein alter Plan, nicht wahr?«

»Plan?« Cole runzelte die Stirn. »Wovon redest du eigentlich?«

»Erinnerst du dich nicht? Wir waren im Tagesraum und haben ferngesehen, und du warst so wütend wegen der Zerstörung der Erde. Und dann hast du gesagt: ›Wäre es nicht großartig, wenn ein Virus die ganze Menschheit austilgen könnte und nur Pflanzen und Tiere heil lassen würde?‹ Daran erinnerst du dich doch, oder?«

Cole runzelte die Stirn und wischte sich den Schweiß ab. »Du... du willst mich nur durcheinanderbringen.«

Je näher sie dem Ende der Treppe kamen, desto lauter sprach Jeffrey. »Damals habe ich dir gesagt, daß mein Vater ein bekannter Virologe ist, und du sagtest: ›He, er könnte ja einen solchen Virus herstellen, und wir könnten ihn stehlen!‹«

Cole packte ihn, so daß Jeffrey gegen das Treppengeländer stieß. »Das Ding mutiert!« zischte er. »Wir leben unter der Erde! Die Welt gehört den Katzen und Hunden. Und wir leben wie Maulwürfe, wie Würmer! Wir wollen nur die ursprüngliche Form –«

Ein stählerner Griff schloß sich plötzlich um Coles Schulter und zog ihn herum.

»Immer mit der Ruhe. Wir wissen jetzt, wer Sie sind, Mr. Cole.«

Der zweite Agent tauchte neben dem ersten auf. »Lassen Sie uns woanders hingehen und über die Sache reden, ja? Kommen Sie einfach nur mit uns –«

Mit weit aufgerissenen Augen wich Jeffrey zurück. »Sie haben recht! Vollkommen recht! Er ist verrückt, total übergeschnappt. Durchgeknallt. Paranoid.« Seine Stimme brach, und dann tobte er los: *»Sein Prozessor ist durchgebrannt, sein Hauptspeicher abgestürzt –«*

Die beiden Agenten packten Cole wie ein Tier, das in die Falle gegangen ist. Sie schleppten ihn die Treppe hinunter, und Jeffrey blieb ihnen auf den Fersen. Er schrie so laut, daß die verbliebenen Gäste sich umdrehten und die merkwürdige Szene auf der Treppe verblüfft verfolgten.

»Wissen Sie, was diese ›Armee der Zwölf Affen‹ eigentlich ist? Eine Ansammlung von Bekloppten, die einen Laden in der Stadt haben! Abgeschwebte Weltverbesserer, die den Regenwald retten wollen! Mit denen hab ich nichts mehr zu tun! Ich hab keine Lust mehr, der reiche Junge zu sein, der diese unfähigen Spinner immer wieder rausreißt! Und das gilt auch für deinen *großen Plan*!«

Cole wand sich im Griff seiner Hüter und warf einen

Blick nach hinten, wo Jeffrey auf der Treppe stand, wohlfrisiert, in einem makellosen Smoking und mit glitzernden blauen Augen. Er wirkte vollkommen selbstsicher, und seine verächtliche Miene sagte alles.

»Er ist verrückt, total übergeschnappt. Durchgeknallt. Paranoid...

Cole schüttelte den Kopf. Sein Mund war trocken. *Nein, ich bin nicht verrückt, das kann nicht sein...*

»Immer mit der Ruhe, Mr. Goines, wir haben ihn ja«, rief einer der Agenten zurück. »Alles ist unter –«

»Mein Vater hat die Leute schon seit Jahren vor den Gefahren der Experimente mit Viren und Gentechnik gewarnt! Und du hast diese Informationen durch deine gestörte paranoide Infrastruktur gejagt, und dann bin ich plötzlich Frankenstein und ›die Armee der Zwölf Affen‹ wird eine geheimnisvolle Untergrundverschwörung! Dieser Mann ist vollkommen übergeschnappt! Wissen Sie, wo er angeblich herkommt?«

Cole duckte sich und verpaßte einem der Agenten einen Ellenbogenstoß, der ihn die Treppe hinunterstürzen ließ. Dann riß er sich von dem anderen Mann los und stolperte die Stufen hinab, auf die Haustür zu. Aber aus dem Augenwinkel sah er die Gestalt eines dritten Agenten, der sich aus dem Gedränge der verwirrten Gäste löste. Cole taumelte gegen einen Ablagetisch, dann drängte er sich an den erstaunten Gästen vorbei und hinkte weiter, bis er an die Küchentür kam. Ein Agent folgte ihm, schob Goines' Gäste grob beiseite und stürzte in die Küche.

»Ist hier gerade ein hinkender Mann durchgekommen?«

Mehrere Dienstboten wichen an die Wand zurück, schüttelten die Köpfe. Ein untersetzter Mann mit einer Kochmütze blieb ungerührt auf einem Klappstuhl sitzen und hielt sich einen Cognacschwenker vor die Nase. Über ihm, auf einem Regalbrett zwischen Reihen von Kochbüchern und Flaschen mit Kräuteressigen, lärmte ein kleines Fernsehgerät. Auf dem Bildschirm war ein winziger Affe zu sehen, der die Augen weit aufgerissen hatte und vor Angst zitterte, als man ihn in einen engen Schacht hinabließ.

»...versicherten uns, daß der Affe keine psychischen Schäden davontragen wird...«

»Hat einer von euch jemanden gesehen, der hier durchgerannt ist?« schrie der Agent noch einmal.

Der Koch nahm einen weiteren Schluck seines Verdauungstrunks und schüttelte störrisch den Kopf. »Nö. Und wenn Sie mich fragen, wird der Affe da das verdammte Sandwich selbst essen.«

Die anderen Dienstboten starrten ihn an. Der Agent schüttelte den Kopf, und im selben Augenblick wurde auf dem Bildschirm ein Schwarzweißfoto von Kathryn Railly eingeblendet, die lächelnd ihr Buch signierte.

»Nach neuesten Meldungen vermutet die Polizei, daß es sich bei der Leiche einer Frau, die im Gebiet des Knudson-Parks gefunden wurde, um die entführte Psychiaterin Dr. Kathryn Railly handelt.«

Der Agent bedachte den Fernseher mit einem angewiderten Blick, rannte zum Fenster und riß es auf.

Draußen patrouillierte ein weiterer Agent wachsam zwischen den Reihen von Mercedes', Range Rovern, BMWs und Porsches. Er hörte, wie das Fenster aufgerissen wurde und fuhr mit gezogener Waffe herum, entspannte sich aber wieder, als er seinen Kollegen erkannte. Er hob die Hände und zuckte mit den Achseln, um anzuzeigen, daß er keine Spur von Cole gefunden hatte.

Erleichtert trat der erste Agent vom Fenster zurück. Er bemerkte, daß das Küchenpersonal noch immer gebannt die Nachrichten verfolgte.

»*Zuvor hatte die Polizei Dr. Raillys Wagen nicht weit von einem Gebäude gefunden, in dem drei Tierrechtler gefesselt und geknebelt entdeckt wurden.*«

»Hast du ihn?«

Der Agent schüttelte den Kopf, als sein Partner die Küche betrat. »Nein.«

Der zweite Mann schlug sich mit der Faust auf den Oberschenkel. »Er kann doch nicht einfach verschwunden sein!«

»Genau das würde ich tun«, murmelte der Koch und goß sich noch einen Rémy Martin ein. »Das verdammte Sandwich selbst essen und dann abhauen.«

Im Dunkeln knisterten und rauschten die Bäume. Zweige kratzten über sein Gesicht, als er keuchend weiterrannte. Einmal wäre er beinahe gestürzt, aber dann fing er sich, indem er sich an einem dünnen Birkenast festhielt, der abbrach, als er sich daran hochzog. Sein Bein brannte, der

Schmerz schoß vom Oberschenkel bis zu den Lenden, und er stöhnte.

Gott, ich hoffe, ich bin nicht zu spät, bitte laß es nicht zu spät sein.

Über ihm stieg der Mond über die Baumwipfel hinweg und beschien das gewundene Silberband der Straße und die kleine Lichtung, auf der ein einzelner Jaguar geparkt war. Weiter entfernt konnte man durch Unterholz und eine Eibenhecke gerade noch die Lichter des Anwesens der Goines ausmachen. Cole konnte Stimmen und den klagenden Schrei eines Waldkauzes hören. Keuchend rannte er zu der Lichtung.

Als der Wagen in Sicht kam, wurde Cole langsamer. Mit dem beißenden Schmerz in seinem Bein und dem Feuer in der Brust vom Laufen hätte er nicht gedacht, daß ihm etwas noch mehr weh tun könnte, aber es war so. Es war vollkommen ruhig: keine gedämpften Schreie, keine Schläge gegen den Kofferraumdeckel, nichts. Er näherte sich dem Wagen, wie man sich einer Bombe nähert. Er ballte die Hände zu Fäusten; dann blieb er stehen und fuhr mit den Fingern über den Kofferraumdeckel, tastete die Löcher ab, die er mit einem Brecheisen hineingestoßen hatte. Schließlich holte er den Schlüssel aus der Tasche und schob ihn mit zitternden Fingern ins Schloß.

Der Deckel klappte auf. Im Mondlicht sah Cole etwas, was auch ein Haufen verknitterter Kleider hätte sein können, die jemand in den Kofferraum gestopft hatte. Dann bewegte sich etwas. Cole sah das Glitzern von Metall: Kathryns Armbanduhr, dann ihr dichtes, wirres Haar, als sie aus dem Kofferraum kletterte, Tränen der Wut in den Augen.

»Du Mistkerl! Du *elender Mistkerl*!«

Er wich zurück, als sie taumelnd nach ihm schlug, mit wild fuchtelnden Armen. Sein Bein gab unter ihm nach, und er stürzte auf den laubbedeckten Boden. Kathryn trat nach ihm und schrie hysterisch auf ihn ein. »Ich hätte da drin *sterben* können! Wenn Ihnen etwas passiert wäre, wäre ich gestorben!«

Er blickte zu ihr auf, hilflos; seine Lippe blutete. »Es… es tut mir wirklich leid«, stammelte er.

Kathryn trat noch einmal fest zu, verfehlte Cole aber und verlor das Gleichgewicht. Sie fing sich wieder und starrte ihn heftig atmend an. Ihr verfilztes Haar umrahmte ihr Gesicht wie ein Heiligenschein. Zum ersten Mal bemerkte sie, wie zerrissen und schmutzig seine Kleider waren und daß er Blut auf Gesicht und Armen hatte.

»Was haben Sie gemacht?« fragte sie heiser. Entsetzt hielt sie sich die Hand vor den Mund. »Haben Sie… jemanden umgebracht?«

»Nein!« schrie Cole. Er kam langsam wieder auf die Beine. »Ich… Ich glaube nicht.« Er starrte sie an, sein Gesicht eine verzerrte Maske von Schmerz und Entsetzen. »Ich meine… es kann sein, daß ich Milliarden umgebracht habe. *Milliarden!*«

Kathryn rieb sich den schmerzenden Kopf und schaute

zum Mond hinauf. »Was?« fragte sie, jetzt ein wenig ruhiger.

»Es… es tut mir leid, daß ich Sie eingeschlossen habe.« Cole starrte sie weiter mit großen Augen an. »Ich bin noch mal wiedergekommen und hab ein paar Löcher in den Kofferraum gestoßen, damit Sie atmen konnten.« Sein Blick wurde trüb, und er schüttelte den Kopf, als wolle er ein lästiges Insekt verscheuchen. »Ich dachte… ich dachte… Glauben Sie, ich könnte verrückt sein?«

Kathryn starrte ihn an. Sie spürte, wie Angst und Wut von ihr abfielen und professionelle Distanz wie ein Schutzschild aufstieg. Sie nickte langsam und bedächtig.

»Wie kommen Sie darauf, James?« fragte sie mit ruhiger Stimme.

Cole schlug sich nervös mit geballten Fäusten gegen die Oberschenkel. Er hob den Kopf und starrte den mondhellen Himmel an. »Jeffrey Goines meinte, es sei meine Idee gewesen, diese Sache mit dem Virus. Und plötzlich war ich nicht mehr sicher. Wir haben über die Zeit gesprochen, als ich in der Psychiatrie war, und es war alles so… verschwommen. Von den Drogen und so…«

Abrupt sah er sie an, zog die Fäuste vor die Brust. »Glauben Sie, *ich* könnte derjenige sein, der die Menschheit ausgelöscht hat? Daß es meine Idee war?«

Kathryn schüttelte lächelnd den Kopf. Jetzt hatte sie sich wieder vollkommen in der Gewalt. »Niemand wird die Menschheit auslöschen. Weder Sie noch Jeffrey noch sonst jemand. Sie haben in Ihrem Kopf etwas geschaffen, James

162

– eine Ersatzwirklichkeit – um Tatsachen auszuweichen, denen Sie sich nicht stellen wollen.«

James nickte langsam. Ungebeten drängte sich ihm das Bild des Flughafens auf, einer Gestalt, die zu Boden stürzte, das Bild von etwas Schrecklichem, das er gesehen hatte, etwas –

Und dann war das Bild verschwunden. Cole blinzelte. »Ich bin… ›psychisch divergierend‹«, sagte er, als er sich an L. J. Washingtons Begriff erinnerte. »Das würde ich jedenfalls gern glauben.«

Kathryn nickte. »Wir können etwas dagegen tun, aber nur, wenn Sie selbst wirklich wollen. Ich kann Ihnen helfen, James«, fügte sie leise hinzu.

Irgendwo in der Nähe erklangen Stimmen, bellten Hunde. Cole schaute zum Rand der Lichtung, wo ein Stück Straße zu sehen war. »Ich brauche wirklich Hilfe, und zwar sofort. Sie sind hinter mir her. Sie jagen mich.«

»Wer, James? Wer ist hinter Ihnen her?«

Er zeigte in die Richtung, aus der der Lärm kam. »Ich glaube… ich glaube, ein paar Leute auf dieser Party waren Polizisten.«

»*Party?*« Kathryn sah ihn ungläubig an. »Sie waren auf einer…«

Sie fuhr sich durchs Haar und zog ein Gesicht. »Ist ja auch egal. Wenn das da die Polizei ist, dann ist es wichtig, daß Sie sich freiwillig stellen und nicht auf der Flucht gefangengenommen werden. Ist das klar?«

Cole nickte, aber er hatte nur halb zugehört. Plötzlich

lächelte er. »Es wäre wunderbar, wenn ich verrückt wäre. Wenn ich mich mit allem geirrt habe, dann wird der Welt auch nichts passieren. Und ich werde nie unter der Erde leben müssen.«

Ganz in der Nähe bellte ein Hund ohne Unterlaß. Kathryn spähte in den Wald. Taschenlampen blitzten auf, ein Lichtstrahl streifte einen Felsen, der kaum dreißig Meter entfernt war. Sie holte tief Luft. »Geben Sie mir die Pistole.«

»Die Pistole!« Cole spreizte die Hände, starrte sie verzweifelt an. »Die hab ich verloren.«

Kathryn war erleichtert. »Sind Sie sicher?«

Cole nickte. Er legte den Kopf zurück und schaute hinauf zum Mond, zu den Sternen, die wie eine Handvoll Schneekristalle auf dem schwarzen Samt des Himmels schimmerten. »Sterne! Luft!« flüsterte er ehrerbietig. »Ich könnte hierbleiben! Atmen!«

Kathryn beobachtete ihn einen Augenblick: Ein erwachsener Mann, ein psychotischer ehemaliger Strafgefangener in zerrissenen und blutbefleckten Kleidern, der zum Himmel emporstarrte wie ein Kind an Weihnachten. Sie hatte das Gefühl, etwas zu verlieren, aber sie verdrängte es.

Es ist besser so, sagte sie sich. *Es muß einfach besser sein...*

Sie ging zum Wagen zurück. »Ich werde die Leute da auf mich aufmerksam machen und sie wissen lassen, daß wir hier sind, ja, James?« Sie stieg ein und hupte – einmal, zweimal, dreimal. Wildes Kläffen ertönte zur Antwort. »Sie werden Ihnen sagen, Sie sollen die Hände auf den Kopf legen«, fuhr sie fort. »Tun Sie, was man Ihnen sagt. Es wird Ihnen bald besser gehen, James – das weiß ich!«

Cole schwieg. Er hob die Arme zum Himmel und ließ sie einen Augenblick später wieder sinken. Er sah sich den Boden zu seinen Füßen an und entdeckte etwas, das sich durch die Laubdecke geschoben hatte. Ungeschickt versuchte er, sich zu bücken, ohne sein verletztes Bein dabei zu belasten, und griff zögernd nach dem hellen Etwas, das zwischen abgebrochenen Zweigen und Eichenlaub emporragte. Mondlicht fiel durch die Baumkronen auf einen Krokus, bleiche Blütenblätter bogen sich und enthüllten das kleine, leuchtende Herz der Blüte. Mit herzzerreißender Sanftheit berührte Cole die Blüte, spürte ihre kühlen, feuchten Blätter wie einen winzigen Mund an seiner Hand. Mit einem tiefen Stöhnen schloß er die Hände um totes Laub und rieb es sich ins Gesicht. Er atmete den süßen Duft ein, öffnete die Lippen, so daß ihm Laubfetzen und Erde in den Mund rieselten, die er, halb wahnsinnig vor Freude, schluckte. Als die Jaguarhupe wieder erklang, blickte er noch einmal zum Himmel auf, zum Vollmond und den Sternen und den Bäumen und ihrer ganzen Pracht: zu diesem atemberaubenden Wunder, diesem Traum, zu dem er plötzlich erwacht war. Er begann zu weinen, Tränen liefen ihm über die Wangen und zogen eine Spur durch den Schmutz vom Laub in seinem Gesicht.

»Ich liebe diese Welt!«

Jemand rief. Cole starrte immer noch begeistert den Himmel an, als Kathryn rasch aus dem Wagen stieg und auf ihn zulief.

»Vergessen Sie nicht, ich werde Ihnen helfen«, sagte sie. »Ich werde bei Ihnen bleiben. Ich lasse nicht zu, daß man Sie –«

Sie hielt mitten im Satz inne und starrte verblüfft geradeaus, während Polizisten und hechelnde Hunde auf die Lichtung gerannt kamen.

Cole war verschwunden. Wo er gekniet hatte, war nur ein kleiner Haufen aufgewühlten Laubs zurückgeblieben, und der zerbrechliche Finger eines gelben Krokus, der sich aus dem Boden schob.

Sie behielten sie die ganze Nacht auf dem Revier. In Abständen wechselten die Gesichter ihrer Gegenüber, von lokalen Kripobeamten zu FBI-Agenten zu einer freundlichen Sekretärin, die ihr Kaffee brachte und später einen Becher Orangensaft.

Jetzt fiel das Morgenlicht schräg durch die von Draht und toten Fliegen verdunkelten Fenster, und die erschöpfte Kathryn erzählte ihre Geschichte zum fünften Mal. Diesmal saß sie Lieutenant Halperin gegenüber, einem Mann, der kurz vor der Pensionierung stand und dessen Gesicht deutliche Anzeichen aufwies, daß er diesen Zeitpunkt kaum mehr erwarten konnte.

»...Dann habe ich zu ihm gesagt, er müsse sich kooperativ zeigen, und er erklärte sich einverstanden, also bin ich ins Auto gestiegen und habe gehupt. Und als ich wieder ausstieg, war er weg.«

Halperin trank einen Schluck Kaffee und nickte. Hinter ihm betrat ein anderer Cop das Zimmer und reichte ihm ein Foto.

»Sie haben wirklich Glück gehabt«, sagte Halperin und blickte vom Foto zu der verhärmt aussehenden Frau. Kathryn hatte sich gekämmt und gewaschen, aber ihre Kleidung war verknittert und fleckig, und in ihrem Gesicht zeichnete sich deutlich ab, was sie durchgemacht hatte. »Eine Weile dachten wir, wir hätten Sie gefunden – eine verstümmelte Leiche in einem Park.«

Kathryn schüttelte entschieden den Kopf. »So etwas würde er nie tun. Er –«

Lieutenant Halperin unterbrach sie. »Ist das hier der Mann, den er angegriffen hat?«

Er reichte Kathryn das Foto. Sie starrte es an, ein Schwarzweißbild eines der Männer, die sich in dem verfallenen Haus in Philadelphia auf sie gestürzt hatten. Er war an einer Wand zusammengebrochen, sein Kopf in einem unnatürlichen Winkel auf die Schulter gesunken. Kathryn nickte knapp und schob das Foto wieder zurück über den Tisch.

»Ich möchte das noch einmal betonen«, sagte sie mit fester Stimme. »*Dieser* Mann da« – sie zeigte auf das Foto – »und ein anderer haben uns… *brutal* angegriffen. James Cole hat den Kampf nicht angefangen. Er hat mich gerettet.«

Halperin lehnte sich seufzend zurück. »Es ist schon komisch, Doktor – vielleicht können Sie es mir erklären, als Psychiaterin. Wieso versuchen Entführungsopfer eigentlich fast immer uns klarzumachen, daß die Burschen, die sie verschleppt haben, eigentlich ganz freundlich waren?«

»Das ist eine normale Reaktion auf eine lebensbedrohliche Situation«, erwiderte sie monoton. Plötzlich blitzten ihre Augen auf, und sie sah Halperin direkt an. »Er ist *krank*. Er glaubt, er käme aus der Zukunft. Er hat in einer ausgesprochen komplexen Phantasiewelt gelebt, und diese Welt fängt nun an, in sich zusammenzufallen. Er braucht *Hilfe*!«

»Hilfe«, erwiderte Halperin. Er trommelte mit den Fingern auf die Tischplatte. Einen Augenblick später schüttelte er den Kopf und griff nach seinen Notizen und dem Foto. »Also gut. Ich bin sicher, wir werden alles tun, um diesem Mann zu *helfen*. Dr. Railly –«

Er stand auf und wies auf die Tür... »Sie müßten noch ein paar Formalitäten erledigen, und dann wird jemand Ihnen helfen, Ihre Heimreise zu organisieren.«

»Ich danke Ihnen«, sagte Kathryn leise; ihre Aufregung hatte sich gelegt. »Besten Dank.«

Sie folgte ihm nach draußen.

Das Röhren des Triebwerks wird von Stimmen übertönt, von dem hallenden Echo eines Schusses. Ganz in der Nähe des Jungen nähern sich zwei blonde Köpfe einander, helles Haar fällt über helles Haar, die Frau wiegt den verwundeten Mann, der auf dem Boden der Halle liegt, in den Armen. Trotz seiner Angst möchte der Junge auf sie zurennen, aber jemand hält ihn zurück, eine Hand liegt auf seiner Schulter, eine Stimme befiehlt ihm etwas.

»*Wachen Sie auf! Aufwachen!*«

Er zuckte zusammen, als eine zweite Stimme erklang. »Ich glaube, wir haben ihm zuviel gegeben.«

»AUFWACHEN!«

Er erwachte und versuchte blinzelnd, die verschwommenen Gesichter über sich zu erkennen.

»Kommen Sie schon, Cole, geben Sie sich ein bißchen Mühe.«

»Reden Sie schon! Sie waren im Haus eines berühmten Virologen…«

Mit großer Anstrengung schüttelte Cole den Kopf. »Es… es gibt Sie überhaupt nicht!« sagte er schließlich, die Worte fielen ihm wie Steine aus dem Mund. »Ich bilde mir das alles nur ein.«

Über ihm schob sich ein einzelnes Gesicht aus dem Nebel: der Mikrobiologe, dessen dunkle Brille wie ein breiter Querstreifen in dem schmalen Gesicht wirkte. »Reden Sie schon, Cole«, befahl er. »Was haben Sie als nächstes getan?«

Cole schloß die Augen und zwang diese anderen Gesichter aus seinem Kopf. Er versuchte, sich statt dessen einen mondhellen Himmel vorzustellen, den Schatten einer Krokusblüte auf seiner ausgestreckten Hand, Kathryn Raillys helle Augen und konzentrierte Miene, als sie ihm sanft das Bein verband.

»Cole!«

Die Bilder wurden klarer. Er konnte Laub rascheln hören, das Seufzen des Windes in den Bäumen. Er lächelte und spürte den Wind auf dem geschorenen Kopf, dann schrie er auf, als kalte Finger sich in seine Schulter bohrten, an seinem Hals nach einer Vene suchten. Ein plötzlicher Nadelstich und dann Dunkelheit.

In Kathryns Wohnung saßen ihre Freunde Marilou und Wayne dicht nebeneinander auf der Couch und starrten erschüttert auf den Bildschirm. Dort war eine zerbrechlich aussehende Kathryn zu sehen, die gerade das Polizeirevier verließ. Ihr Gesicht war totenbleich, und das Haar hatte sie unter einem Schal verborgen.

»*Erschöpft, aber ansonsten offensichtlich unbeschadet durch die dreißigstündige Zerreißprobe, die sie hinter sich hat, kehrte Dr. Kathryn Railly heute früh nach Baltimore zurück. Sie wollte sich vor unseren Kameras nicht äußern.*«

Hinter ihnen ging die Schlafzimmertür auf. Wayne griff hastig nach der Fernbedienung und stellte den Ton leiser, als Kathryn hereinkam, im Bademantel, die Katze auf dem Arm. Wayne blickte schuldbewußt zu ihr auf.

»Tut mir leid. Haben wir dich geweckt?«

Kathryn schüttelte den Kopf. »Nein. Ich bin zu aufgedreht, um schlafen zu können.«

Marilou rutschte ein Stück, um für sie auf der Couch

Platz zu machen. »Hast du das Beruhigungsmittel genommen?«

»Nein. Ich kann dieses Zeug nicht ausstehen. Davon werde ich nur blöd im Kopf.« Sie nahm Wayne die Fernbedienung ab und stellte den Ton wieder lauter.

»James Cole wird inzwischen nicht nur wegen der Entführung der Psychiaterin aus Baltimore gesucht, sondern auch wegen Mordes an dem Exsträfling Rodney Wiggins...«

Seufzend trat Kathryn ans Fenster. Sie schob den Vorhang zur Seite und spähte hinunter zu einem verbeulten alten Ford, der gegenüber parkte. Drinnen saß ein Mann mit Sonnenbrille, der zu ihrem Fenster hinaufschaute: Detective Dalva von der Polizei in Baltimore.

»Diese verdammten Cops«, sagte Kathryn. »Ich hab sie wieder und wieder gefragt, ob sie wirklich erwarten, daß er hier auftaucht.« Sie drehte sich um und ging auf die Küchentür zu. Marilou folgte ihr, die Teetassen in der Hand.

»Und in Fresno, Kalifornien...«

Kathryn warf einen traurigen Blick auf den Bildschirm. »Er ist tot, nicht wahr – der kleine Junge?«

Wayne verdrehte die Augen. »Dem geht's prima. Es war nur ein Jux, den er und seine Freunde sich geleistet haben.«

Kathryns entsetzter Blick blieb am Fernseher hängen, wo die Polizei gerade einen verlegen dreinblickenden Jungen aus einer Scheune führte.

»...bisher haben sich die zuständigen Stellen noch nicht

171

geäußert, ob sie gegen die Familien der beteiligten Kinder
Anzeige erstatten wollen.«

»Kathryn? Was ist denn?« Marilou sah ihre Freundin besorgt an. »Ist dir –«

Kathryn schüttelte den Kopf. Ihre Hände fühlten sich taub an, ihr ganzer Körper schien von eisiger Gischt überzogen. Sie schüttelte den Kopf und starrte immer noch den Fernseher an, voller Angst. Sie mußte sich anstrengen, diese Angst nicht in ihre Stimme einfließen zu lassen.

»Ein Fehler... ich glaube, wir haben... einen großen Fehler gemacht.«

Bäume, ein Himmel, blauer, als er es je gesehen hat. Etwas Weiches an seinem Gesicht, von dem Cole zunächst glaubt, es sei Schnee, aber es ist Kathryn Raillys Haar, ihr Mund, der seinen streift. Er stöhnt und lächelt, als er eine leise Stimme hört –

> »*I found my thri-ill*
> *On Blueberry Hill...«*

Die Stimme wird lauter, dann sind es mehrere Stimmen, die jetzt ziemlich falsch singen.

> »*...on Blueberry Hill...«*

Er griff sich ins Gesicht, fand nichts dort. Der Gesang ging weiter, falsch, aber laut und kräftig. Als er die Augen öffnete, war kein Himmel da, keine Bäume, keine Kathryn. Nur eine Gruppe ernst dreinschauender Wissenschaftler, die sich um sein Bett versammelt hatten und laut vor sich hin grölten.

»Hä?« Cole schüttelte den Kopf.

Als sie sahen, daß er wach war, hörten die Wissenschaftler auf zu singen und brachen in Applaus aus.

»Gut gemacht, James!«

»Wirklich gelungen! Gut für Sie!«

»Meinen Glückwunsch.«

Verwirrt setzte Cole sich auf. Die Zoologin mit dem freundlichen Blick beugte sich über ihn und strich ihm über die Stirn. »Während Ihres ›Interviews‹, als Sie unter Drogen standen, haben Sie uns erzählt, daß Sie Musik mögen!« erklärte sie vergnügt.

Cole wich zurück und sah sich um. Er war in einem kleinen, fensterlosen Raum, in dem das schmale Eisenbett das einzige Möbelstück darstellte. An den fleckigen weißen Wänden hingen billige Reproduktionen von Landschaftsgemälden des neunzehnten Jahrhunderts, Bäume und Hügel in freudlosen Grün- und Brauntönen. Als er versuchte, die Hände zu heben, stellte er fest, daß sie ans Bett gebunden waren, aber sehr locker.

Die Zoologin schob sich dichter heran und reagierte auf seinen ungläubigen Blick mit einem entwaffnenden Lächeln. »Sie sind hier nicht im Gefängnis, James«, sagte sie beruhigend. »Sie sind im Krankenhaus.«

»Aber nur, bis Sie Ihr psychisches Gleichgewicht wie-

173

dergefunden haben«, unterbrach ihn der Mikrobiologe, der unter der dunklen Brille ein breites Grinsen zur Schau trug. »Sie sind immer noch ein bißchen... desorientiert.«

»Der Streß!« meinte der Astrophysiker und strich sich das silbrige Haar aus der Stirn. »Zeitreisen!«

Der Mikrobiologe nickte nachdrücklich. »Und Sie haben sich wirklich gut gehalten, unter diesen Umständen!«

»Hervorragende Arbeit!« rief die Zoologin. »Hervorragend!« Sie setzte sich auf Coles Bettkante, ungeachtet seiner Unruhe und Verzweiflung. »Sie haben die Verbindung zwischen der Armee der Zwölf Affen und einem weltbekannten Virologen und seinem Sohn herausgefunden –«

»Jetzt werden andere übernehmen«, sagte der Mikrobiologe eifrig. »Und in ein paar Monaten werden wir wieder an die Oberfläche zurückkehren.«

Die anderen fielen aufgeregt ein: »Wir werden den Planeten zurückerobern.«

»Wir sind ganz dicht dran.«

»Und das ist *Ihr* Verdienst!«

Der Mikrobiologe trat vor und zeigte ihm ein Dokument. »Das ist es, James – worauf Sie gewartet haben.«

Cole betrachtete das Papier mißtrauisch. »Vollständiger Straferlaß!« sagte die Zoologin.

»Sie werden bald hier raus sein«, fügte der Mikrobiologe hinzu und tätschelte Coles Schulter. »Eine Menge Frauen werden sich um Sie reißen –«

Cole riß sich los. »Ich will Ihre Frauen nicht! *Ich will wieder gesund werden!*«

Zwei Wärter, die Cole bisher nicht bemerkt hatte, drängten sich zum Bett vor und drückten Cole wieder auf die Matratze.

»Aber natürlich wollen Sie gesund werden, James«, sagte der Mikrobiologe und sah zufrieden zu, wie die Wärter Cole fester ans Bett banden. »Und das werden Sie auch – bald.«

»*Es gibt Sie überhaupt nicht!*« schrie Cole. Er trat nach dem Mikrobiologen, und das Straferlaßdokument fiel dem Mann aus der Hand. »*Sie sind gar nicht da! Hahaha! Zeitreisen! Sie sind gar nicht wirklich hier! Ich habe Sie erfunden! Sie können mir nichts mehr vormachen! Sie existieren nur in meinem Kopf! Ich bin verrückt, und Sie sind eine Wahnvorstellung!*«

Hysterisches Lachen erklang, als die Wissenschaftler in Richtung Tür zurückwichen. »*Sie können mir nichts mehr vormachen!*« brüllte Cole. »*Jetzt nicht mehr!*«

»Ich glaube, Mr. Cole ist müde«, sagte der Mikrobiologe anzüglich zu einem der Wärter. »Vielleicht sollten wir ihm helfen, daß er wieder ein bißchen schlafen kann.«

Der Wärter nickte, hatte die Spritze schon bereit und rang mit Cole, bis er ihn auf die Pritsche niedergedrückt hatte.

»So«, sagte der Mikrobiologe, der in der Tür stehengeblieben war. »So ist es schon besser. Wir nehmen Ihnen nicht übel, daß Sie sich aufregen, James – man erhält nicht jeden Tag vollständigen Straferlaß. Aber jetzt sollten Sie sich lieber ausruhen – ruhen Sie sich aus, solange Sie können.«

Kathryn hatte Dr. Fletcher in seinem Büro in die Enge getrieben. Der Leiter der Psychiatrie saß auf seinem Drehstuhl und fühlte sich sichtlich unwohl. Er setzte die dunkle Brille ab, putzte die Gläser mit einem Papiertaschentuch, setzte die Brille wieder auf und führte einen Augenblick später das gesamte Ritual noch einmal durch.

»Er hat nicht nur davon gesprochen, es sei ein ›Streich‹ der Jungen gewesen, er wußte auch, daß der Junge sich in einer Scheune versteckt hatte«, sagte Kathryn eindringlich.

Fletcher nickte und fing an, mit dem Stift auf den Tisch zu hämmern. »Er hat dich entführt, Kathryn«, sagte er, als sie innehielt, um Luft zu holen. »Du hast gesehen, wie er jemanden umgebracht hat. Du wußtest die ganze Zeit, daß die Möglichkeit besteht, daß er dich ebenfalls umbringt. Du hast unter unglaublicher emotionaler Belastung gestanden.«

»Um Himmels willen, Owen, *hör mir doch endlich zu* – er wußte, was mit dem Jungen in Fresno los war, und er sagte, fünf Milliarden Menschen würden sterben!«

Fletcher seufzte. Er hielt den Bleistift in beiden Händen und starrte Kathryn an. Er hatte so etwas schon mit Patienten erlebt, auch mit dem einen oder anderen Medizinstudenten, aber nie mit einer Kollegin. Und schon gar nicht mit jemandem, den er für so vernünftig hielt wie Kathryn

Railly. Einen Augenblick später beugte er sich vor und streckte bittend die Hände aus.

»Kathryn, das *kannst* du doch gar nicht wissen. Du bist doch ein klar denkender Mensch. Und eine geschulte Psychiaterin. Du kennst die Unterschiede zwischen Wirklichkeit und Phantasie.«

»Und was wir glauben, stellt die allgemein anerkannte Wahrheit da, ja?« explodierte Kathryn. »Das ist es doch – Psychiatrie ist die neueste Religion! Und wir sind ihre Priester – wir entscheiden, was richtig ist und was falsch. Wir entscheiden, wer verrückt ist und wer nicht.«

Sie fuhr herum und eilte zur Tür, wo sie noch einmal stehenblieb, um einen letzten Blick auf Fletcher zu werfen, der hinter seinem Schreibtisch saß, seine Diplome und Preisurkunden hinter sich an der Wand gerahmt wie kleine Fenster. »Weißt du was, Owen?« sagte sie mit leiser, zitternder Stimme. »Ich habe ein Problem. Ich fürchte, ich falle vom Glauben ab.«

Dr. Fletcher seufzte, als sie die Tür hinter sich zuwarf.

Allein in seinem Zimmer begann Cole sich zu winden, um die Fesseln zu lockern. Die Wirkung des Beruhigungsmittels hatte nachgelassen, und er hätte am liebsten alle umgebracht. Es gelang ihm beinahe, eine gefesselte Hand so weit über den Bettrand zu schieben, daß er ein rostiges Scharnier erreichte, das dort vorstand wie ein Reißzahn. Wenn er es erreichen könnte, würde er das Band, das ihn fesselte, vielleicht zerschneiden können.

»Du hast wirklich Scheiße gebaut, Bob!«

Cole erstarrte. Er sah sich in dem leeren Zimmer um, sah die erbärmlichen Pseudokunstwerke an der Wand, und bewegte dann wieder den Arm zu dem rostigen Scharnier hin.

»Aber mir ist klar, daß du nicht scharf drauf bist, daß man dir deine Fehler aufzählt«, fuhr die heisere Stimme vergnügt fort. »Das kann ich verstehen, Bob, alter Junge.«

Gegen seinen Willen hielt Cole inne und sah sich noch einmal um. Das Zimmer war leer.

»He, ich weiß, was du denkst«, krächzte die Stimme. »Du denkst, es gibt mich nicht, ich bin nur in deinem Kopf. Ein anerkennenswerter Standpunkt. Aber du könntest trotzdem mit mir reden, nicht wahr? Unser Gespräch weiterführen.«

Cole riß die Augen auf. »Ich hab dich gesehen!« rief er. »In der wirklichen Welt! Du hast dir sämtliche Zähne gezogen!«

»Wieso sollte ich so was denn machen, Bob?« tadelte die Stimme. »Das mögen sie überhaupt nicht. Ganz und gar nicht. Und wann hast du mich denn gesehen – war es 1872?«

Die Stimme lachte gackernd, als Cole schrie: »*Leck mich am Arsch!*«

»Brüllen hilft dir auch nicht weiter. Du mußt schon schlauer sein, wenn du kriegen willst, was du möchtest.«

»Ach ja?« erwiderte Cole. »Was möchte ich denn?«

»Das weißt du nicht? Aber sicher, Bob. Du weißt, was du willst.«

»Erzähl's mir«, rief Cole. Er warf sich auf der Pritsche vor und zurück. »Sag mir, was ich will.«

Schweigen. Dann antwortete die Stimme in verschwörerischem Tonfall: »Den Himmel sehen – und das Meer. Oben sein. Die Luft atmen. Und du willst bei ihr sein. Stimmt das nicht? Willst du das etwa nicht?«

Erschüttert hielt Cole den Atem an. Als er schließlich sprach, konnte er seine eigenen Worte kaum hören.

»Mehr... als... alles andere«, flüsterte er.

In dieser Nacht schlief Kathryn unruhig; in ihren Träumen kämpfte und floh sie, und ein muskulöser Mann mit geschorenem Kopf und blutigem Gesicht lief durch eine verwüstete Landschaft davon. Als das Telefon klingelte, fuhr sie mit einem Schrei auf und war sofort hellwach.

»Hallo?«

»Dr. Railly? Jim Halperin von der Polizei in Philly. Tut mir leid, daß ich so früh anrufe, aber –«

Sie umklammerte den Hörer. »Haben Sie ihn gefunden? Geht es ihm gut?«

Stille. Und dann: »Im Gegenteil, Doktor. Keine Spur von Ihrem Freund und Entführer. Aber die Sache wird immer undurchsichtiger. Ich habe einen Bericht auf meinem Schreibtisch, in dem steht, daß die Kugel, die sie aus Mr. Coles Bein herausgeholt haben, eine Antiquität ist, und...«

Halperin hielt inne. Kathryns Herz begann, gefährlich schnell zu schlagen. »Und es ist anzunehmen, daß sie irgendwann vor 1920 abgefeuert wurde.«

Kathryn erstarrte.

»Also dachte ich, Dr. Railly, wieso machen Sie nicht einen kleinen Ausflug hierher, und wir könnten zusammen essen, und vielleicht möchten Sie Ihrer Aussage etwas hinzufügen... Hallo? Hallo? Dr. Railly?«

Kathryn hielt den Hörer auf Armeslänge vom Ohr und starrte ihn immer noch entsetzt an, und schließlich legte sie auf. Eine Minute lang saß sie ganz still da, dann stand sie abrupt auf und lief in ihr Arbeitszimmer. Sie ging zu dem Regal, in dem sie die Unterlagen für *Das Weltuntergangs-Syndrom* aufbewahrte, und begann hektisch, die säuberlich gestapelten Akten und Bücher zu durchwühlen, warf alles einfach auf den Boden. Schließlich fand sie, wonach sie gesucht hatte: ein brauner Umschlag mit alten Fotos. Mit zitternden Händen blätterte sie die Bilder durch, bis sie einen sepiafarbenen Abzug in der Hand hielt.

»Nein!«

Der Schrei zerriß die Stille im Zimmer, als sie das Foto hochhielt, ein unretuschiertes Bild eines jungen südländisch aussehenden Mannes, der auf einer Bahre durch einen Schützengraben des Ersten Weltkriegs getragen wurde. In einer Ecke des Fotos, ohne Helm, ohne Gasmaske, hockte, einen Blick über die nackte Schulter werfend, James Cole.

Im Besprechungsraum der Wissenschaftler traf Cole wieder auf seine Herren: den Mikrobiologen, dessen Augen hinter der dunklen Brille verborgen waren; die Zoologin, die ihn selbst jetzt noch mitleidig betrachtete und die Hände ordentlich im Schoß gefaltet hatte; den ernsten silberhaarigen Astrophysiker, der nervös an seinem goldenen Ohrring zupfte. Am anderen Ende des Tisches saßen weitere Wissenschaftler, schweigend und grimmig. Cole stand vor ihnen allen, glatt rasiert, mit klarem Blick, und starrte dem Mikrobiologen unverfroren ins Gesicht.

»Das Essen, der Himmel, gewisse, äh… sexuelle Versuchungen…« Der Mikrobiologe tippte sich mit dem Bleistift gegen den Finger. »Sie sind doch nicht süchtig geworden, Cole? Nach dieser sterbenden Welt?«

Cole schüttelte den Kopf. Sein Mund war trocken; er konnte spüren, wie ihm der Schweiß über den Nacken lief, aber als er antwortete, blieb seine Stimme fest.

»Nein, Sir! Ich will einfach nur meinen Beitrag leisten, um uns wieder auf die Erdoberfläche zu bringen, damit wir dort wieder die Verantwortung übernehmen können. Und ich habe bereits Erfahrungen, ich weiß, wer diese Leute sind –«

»Er ist tatsächlich am besten qualifiziert«, sagte die Zoologin leise.

Der Mikrobiologe lehnte sich zurück und legte den Kopf nach hinten, so daß sich das Licht in seinen dunklen Gläsern spiegelte. »Aber sein – *Benehmen*.«

Der Astrophysiker nickte. »Sie sagten, wir wären nur in ihrem Kopf, Cole.« Er klang ein wenig gekränkt.

Cole richtete sich auf. »Nun, Sir, ich glaube nicht, daß der menschliche Geist dafür gemacht ist, in zwei unterschiedlichen – wie soll ich sagen? – Dimensionen zu leben. Das ist anstrengend. Sie haben selbst gesagt: es bringe einen durcheinander. Man weiß nicht mehr, was wirklich ist und was nicht.«

Hinter der dunklen Brille war der Blick des Mikrobiologen nicht zu ergründen. »Aber jetzt wissen Sie, was wirklich ist, ja?«

»Ja, Sir.«

»Sie können uns nicht hinters Licht führen. Das würde nicht funktionieren.«

»Nein, Sir. Ich meine, ja. Ich verstehe das. Ich möchte einfach nur helfen.«

Die drei Wissenschaftler sahen erst einander, dann wieder Cole an. Schließlich erhob sich der Mikrobiologe und ging zu einer der Wände, die mit verblaßten Fotos und Zeitungsausschnitten bedeckt waren. In der Mitte der Wand hing eine abgenutzte Weltkarte, die mit Reißzwecken und sich lösendem Klebeband angebracht war.

»Rekapitulieren wir noch einmal unsere derzeitigen Informationen«, begann er und benutzte seinen Bleistift als Zeigestock. »Wenn die Symptome als erstes am 27. Dezember 1996 in Philadelphia entdeckt wurden, bedeutet das, daß...« Er warf Cole einen fragenden Blick zu.

»Daß er in Philadelphia freigesetzt wurde, vermutlich am 13. Dezember 1996.«

Der Mikrobiologe gestattete sich ein kleines anerkennendes Nicken. »Und danach tauchte er wo auf?«

Cole warf den anderen am Tisch einen langen Blick zu,

dann antwortete er im pflichtbewußten Ton eines Klassenbesten: »San Francisco, New Orleans, Rio de Janeiro, Rom, Kinshasa, Karatschi, Bangkok, dann Peking.«

Der Mikrobiologe zog eine Braue hoch. »Was bedeutet?«

»Daß das Virus von Philadelphia nach San Francisco gebracht wurde, von dort nach New Orleans, Rio de Janeiro, Rom, Kinshasa, Karatschi, Bangkok und dann Peking.«

»Und unser einziges Ziel besteht darin…?«

»Herauszufinden, wo sich der Virus befindet, damit ein qualifizierter Wissenschaftler in die Vergangenheit reisen und den ursprünglichen Virus erforschen kann.«

»Damit?«

Cole runzelte die Stirn. »Äh, damit man einen Impfstoff entwickeln kann, der es, äh, der Menschheit erlaubt, die Erdoberfläche zurückzuerobern.«

Die Wissenschaftler kommentierten Coles Vorstellung mit einem anerkennenden Nicken und begannen aufgeregt miteinander zu tuscheln. Cole seufzte erleichtert, dann ließ er den Blick über die Wände schweifen: Zeitschriftentitel, Zeitungen, Todesanzeigen, Karten. Dazwischen hing das Foto einer Graffitizeichnung, grob gemalte Buchstaben, die eine dringende Botschaft formulierten:

ACHTUNG! DIE POLIZEI BEOBACHTET UNS!
GIBT ES EINEN VIRUS? IST DAS HIER DER AUSGANGSPUNKT?
5 000 000 000 STERBEN?

Sein Blick blieb auf dem Foto hängen, und er überlegte, ob er es irgendwo schon einmal gesehen hatte, als er eine Stimme hörte: »Cole – Mr. Cole?«

Er drehte sich um und sah den silberhaarigen Astrophysiker, dessen ernste Miene von einem Lächeln erhellt wurde, das sich auf den Gesichtern seiner Kollegen wiederholte. Alle hatten sich um ihn gedrängt.

»Das haben Sie gut gemacht, Cole. *Sehr* gut.«

Vor einer Glaswand seines Büros stapfte Leland Goines verärgert mit dem schnurlosen Telefon am Ohr auf und ab. Hinter der Wand war ein riesiges steriles Laboratorium zu sehen, in dem Laboranten in weißen Kapuzenanzügen wie Astronauten oder Geister zwischen Behältern aus Edelstahl und Kühlschränken hin- und hereilten, in Käfige spähten und Reagenzgläser, Flaschen und Tabletts hin und her trugen. Im Büro saß Goines' Assistent, ein schlaksiger junger Mann in schwarzem T-Shirt und Jeans, das strähnige rote Haar zu einem Zopf gebunden, und blätterte gelangweilt in der neuesten Ausgabe von *Lancet*.

»Sie haben Grund zu der Annahme, daß mein Sohn *was* plant?«

Goines wartete ungeduldig, bis die Frau am anderen Ende der Leitung fortfuhr. »Ja, ich verstehe Sie ja, Dr. Goines, ich weiß, es klingt verrückt, aber –«

Goines winkte ab und unterbrach sie. »Ihre Beobachtungen machen auf mich nicht gerade einen besonders professionellen Eindruck, Dr. Railly. Im Gegenteil, Sie wirken erschreckend unprofessionell! Ich weiß nichts von irgend-welchen Affenarmeen, Doktor. Überhaupt nichts. Wenn mein Sohn je in so etwas verstrickt war –«

Er hielt inne, dann fuhr er wütend fort. »Nun, es wäre vollkommen unangemessen, Sicherheitsmaßnahmen aus-gerechnet mit Ihnen zu besprechen, Dr. Railly, aber ich kann Ihnen versichern, daß weder mein Sohn noch andere unautorisierte Personen Zugang zu gefährlichen Organis-men in diesem Laboratorium haben. Ich danke Ihnen für Ihre Nachfrage.«

Er legte den Hörer auf und starrte wütend seinen Assi-stenten an. Als der rothaarige Mann Goines' Blick be-merkte, legte er die Zeitschrift zur Seite und erhob sich.

»Dr. Kathryn Railly?« fragte er ganz nebenbei.

Goines nickte gereizt. »Die Psychiaterin, die von diesem Mann entführt wurde, der in mein Haus eingedrungen ist. Sie entwickelt die unverschämtesten Vorstellungen über Jeffrey.«

Sein Assistent verdrehte die Augen. »Ich habe einmal einen Vortrag von ihr gehört. Apokalyptische Visionen.« Er reckte sich, ging zu einem Garderobenständer und nahm einen Laborkittel herunter, auf dessen Brusttasche DR. PETERS eingestickt war. »Ist sie ihrem eigenen ›Cas-sandra-Komplex‹ verfallen?«

Aber Leland Goines stand schon wieder an der Glas-wand und war in Gedanken versunken, während er den weißgekleideten Laboranten in ihrer Stadt aus Glas und Edelstahl zusah. »Andererseits, wenn man bedenkt, womit wir uns befassen, können wir nicht vorsichtig genug sein«, sagte er schließlich. »Ich denke, wir sollten unsere Sicherheitsprozeduren noch einmal überdenken und sie noch mehr verbessern.«

Dr. Peters blieb in der Tür stehen, nickte gehorsam und wartete auf weitere Anweisungen. Als keine kamen, sagte er: »Selbstverständlich. Ich werde Hudson und Drake sofort davon in Kenntnis setzen.«

»Danke«, erwiderte Dr. Goines zerstreut. Noch lange nachdem Peters gegangen war, stand er an der Glaswand und betrachtete mit unbewegter Miene sein Königreich, das dahinter lag.

In Iaconos ehemaliger Metzgerei saßen fünf nervöse Tierrechtler reglos zwischen Pappkartons und Stapeln von Broschüren. Nach ein paar Minuten holte Fale tief Luft, strich sich das helle Haar aus der Stirn und huschte gebückt zum Fenster. Er drückte das Gesicht an einen Schlitz zwischen den Plakaten und spähte hinaus.

»Wer ist es denn?« flüsterte Bee.

Fale schüttelte ungläubig den Kopf. »Diese entführte Frau – die mit dem Kerl herkam, der uns gefesselt hat.«

»Was macht sie denn da draußen?«

»Sie lenkt die Aufmerksamkeit auf uns, das ist mal sicher!« Fale warf einen Blick über die Schulter. »Ich weiß nicht, was du diesmal vorhast, Goines, aber du hast uns wirklich in die Scheiße geritten!«

Jeffrey Goines gähnte, lehnte sich zurück, legte den

Kopf an einen kleinen Stapel FLEISCH-IST-MORD-Flugblätter. »Jaul, jaul, jaul. Was ist mit den Sprechfunkgeräten? Wir hatten mal welche.«

Fale und die anderen wechselten verblüffte Blicke.

»Und?« meinte Jeffrey. »War es nicht so?«

Draußen hämmerte Kathryn Railly vergeblich an die Tür. Ein Stück weiter hatten sich auf dem Bürgersteig ein paar Obdachlose versammelt und beobachteten interessiert, wie sie wütend auf- und abtigerte.

»Ich weiß, daß Sie da drin sind!« schrie sie und rüttelte zum hundertsten Mal an der Klinke. »Ich habe Sie gesehen! Ich habe gesehen, wie Sie sich bewegt haben.«

»Geheime Experimente!« flüsterte jemand heiser.

Kathryn fuhr herum, die Fäuste an die Brust gezogen. Vor ihr stand derselbe zahnlose Stadtstreicher, den sie mit Cole hier gesehen hatte.

»Das werden sie machen!« erklärte er triumphierend. *»Unheimliches, geheimes Zeug.«*

»Sie! Sie kenne ich doch!«

Der Penner schlurfte an ihr vorbei und sah sich die Fotos gefolterter Tiere im Schaufenster an. »Nicht nur mit denen da«, sagte er nachdenklich und zeigte mit einem schmutzigen Finger auf eines der Bilder. »Auch mit Leuten – bei uns im Asyl. Das *weiß* ich«, fügte er verschwörerisch hinzu. »Sie geben ihnen Chemikalien und fotografieren sie dann.«

Kathryn nickte zustimmend. »Haben Sie irgendwo James Cole gesehen? Den Mann, der –«

»Sie beobachten Sie«, flüsterte der Mann. Er ließ den Blick zur Straße wandern. »Sie machen Fotos.«

Kathryn folgte seinem Blick. Auf der anderen Straßenseite, neben einer überquellenden Mülltonne, parkte der vertraute alte Ford, und hinter dem Steuer saß Detective Dalva und tat so, als lese er Zeitung.

»Die Polizei. Ich weiß.« Kathryn strich sich das Haar aus der Stirn und ging auf den Stadtstreicher zu. »Hören Sie, ich muß unbedingt mit James reden, aber er muß vorsichtig sein, wenn er mit mir Kontakt aufnehmen will. Er darf sich nicht erwischen lassen. Haben Sie mich verstanden?«

Der Mann warf ihr einen mißtrauischen Blick aus roten, verschwollenen Augen zu. »Ja, klar doch. Und wer ist James?«

»Er war mit mir zusammen, er hat mit Ihnen gesprochen«, sagte Kathryn, die immer unruhiger wurde. »Vor ein paar Wochen. Er sagte, Sie kämen aus der Zukunft und würden ihn beobachten.«

Der Mann zog die Brauen hoch und wich ein paar Schritte zurück. »Äh, das glaube ich nicht«, sagte er nervös. »Ich glaube, Sie haben mich verwechselt –«

In diesem Moment kamen zwei Skinheads auf Skateboards um die Ecke und markierten ihren Weg auf dem schmutzigen Bürgersteig mit Spraydosen. Kathryn sah ihnen nach, dann rannte sie hinter ihnen her. Der Stadtstreicher nutzte die Gelegenheit und floh.

Im Fenster der Gesellschaft zur Befreiung der Tiere blinzelte ein braunes Auge und verschwand dann.

»Habt ihr die Bolzenschneider?« rief Jeffrey, der eine Liste vor sich hatte.

»Ein Dutzend. Im Lieferwagen«, antwortete Teddy.

»He!« Bee winkte die anderen aufgeregt ans Fenster. »Wißt ihr, was sie gerade macht?«

Teddy und Fale eilten zum Fenster und spähten hinaus. Kaum einen Meter entfernt stand Kathryn Railly und sprühte etwas auf das vernagelte Schaufenster.

»Was schreibt sie denn?« fragte sich Teddy.

Bee schüttelte den Kopf. »Ich kann's nicht richtig sehen.«

Jeffrey warf die Liste zu Boden und schrie: »*Könnt ihr meine verdammte Psychiaterin nicht endlich vergessen und mit der Arbeit anfangen? Das hier ist wichtig!*«

Fale fuhr herum. »*Deine* Psychiaterin? Hast du gerade gesagt, *deine* Psychiaterin?«

Jeffrey warf ihm einen finsteren Blick zu und hob die Liste wieder auf. »Expsychiaterin! Also, was ist mit den Taschenlampen? Wie viele Taschenlampen?«

Fale schüttelte den Kopf und zeigte aufs Fenster. »Diese Frau da ist – war – deine Psychiaterin? Und jetzt besprüht sie unser Haus?«

Jeffrey zuckte mit den Achseln. »Mann, reiß dich zusammen, Fale. Und wenn du das geschafft hast, kümmer dich endlich um die Taschenlampen.«

Draußen auf dem Bürgersteig ging Kathryn hin und her und schüttelte und rüttelte die Spraydose, während sie das Schaufenster mit großen Lettern besprühte. Eine kleine

Menge von Obdachlosen hatte sich hinter ihr versammelt, und ihre Verblüffung war nicht geringer als die von Detective Dalva in seinem alten Ford.

»Das kann ich einfach nicht glauben«, murmelte er. Er griff nach seinem Klemmbrett und notierte sich etwas, wobei er den Blick nicht von Kathryn nahm. »Sie ist völlig durchgedreht.«

Ein weißhaariger Betrunkener trat schwankend neben Kathryn und las jeden Buchstaben laut mit. Die beiden Punks, die ihr die Spraydose verkauft hatten, kamen auf ihren Skateboards vorbeigerauscht und grölten höhnisch. Kathryn hatte keinen Blick für sie übrig, sondern machte wie eine Besessene weiter und achtete nicht auf die schwarzen Farbspritzer auf ihrer Kleidung und ihrem Gesicht. Und so sah sie auch den Mann nicht, der sich langsam durch die Zuschauermenge schob, einen schäbig gekleideten, breitschultrigen Mann mit kurzgeschorenem Haar, der ständig blinzelte, als täten ihm die schwachen Wintersonnenstrahlen in den Augen weh. Als er nur noch ein paar Schritte von Kathryn entfernt war, blieb er stehen, schirmte die Augen mit der Hand ab und starrte sie verblüfft an.

»Kathryn!«

Sie fuhr herum, und die Umstehenden wichen zurück, als sie von Farbspritzern getroffen wurden.

»James!«

Er ging auf sie zu, die Arme mitleiderregend ausgestreckt. Aber bevor er sie erreicht hatte, sah Kathryn an ihm vorbei zu Detective Dalva, der die beiden mit neu erwachtem Interesse beobachtete.

»James!« zischte sie eindringlich und wies mit dem Daumen auf den verbeulten Ford. »Das da drüben ist ein Polizist! Tu so, als würdest du mich nicht kennen. Wenn er dich sieht…«

»Nein.« Cole drehte sich um und starrte das Auto direkt an. »Ich *will* mich ja stellen. Wo ist er?«

Er legte sich die Hand an die Stirn und sah Kathryn ernst an. »Keine Sorge – jetzt ist alles in Ordnung. Ich bin nicht mehr verrückt! Ich meine, ich *bin* verrückt, genauer gesagt psychisch divergierend, aber ich *weiß* es jetzt, und ich will, daß Sie mir helfen. Ich will wieder gesund werden.«

Kathryn packte ihn bei den Händen und versuchte verzweifelt, sie von seiner Stirn zu ziehen und gleichzeitig Detective Dalvas Sicht auf Cole zu blockieren.

»James! Nimm die Hände runter und hör zu! Die Dinge stehen inzwischen anders!« Wieder warf sie einen hektischen Blick zu dem Wagen, sah, wie Dalva nach seinem Klemmbrett griff und ein Foto hochhielt. Er verglich das Bild mit Cole und griff dann nach dem Funkgerät. Kathryn unterdrückte einen Schrei, warf die Spraydose weg, packte Cole und versuchte, ihn hinter sich herzuziehen.

»James, komm schon! Wir müssen hier weg. *Sofort* –«

Aber Cole rührte sich nicht. Statt dessen sah er von der Spraydose, die auf dem Bürgersteig herumrollte, zu dem Schaufenster, das Kathryn besprüht hatte. Krakelige schwarze Buchstaben bedeckten die Bretter über der Scheibe, das Glas und die alten Ziegel.

Achtung! Die Polizei beobachtet uns!
Gibt es einen Virus? Ist das hier der Ausgangspunkt?
5 000 000 000 sterben?

»Das… das hab ich schon mal gesehen«, flüsterte er.

Kathryn schüttelte den Kopf. »James, glaub mir, wir müssen von hier verschwinden –«

Sie zerrte ihn den Bürgersteig entlang, vorbei an mehreren verdutzten Zuschauern. Cole starrte weiter die Wand an, aber Kathryn stolperte vorwärts wie eine Wahnsinnige. Ihr Haar war aufgelöst, auf den Kleidern hatte sie überall schwarze Farbe. Als sie um die Ecke bogen, fuhr der verbeulte Ford ruckartig an. Er wendete scharf und wäre beinahe mit einem Lieferwagen zusammengestoßen, der scharf bremste und hupte.

Im Laden stand Fale hinter Bee und runzelte die Stirn. »Was ist denn jetzt schon wieder los?« wollte er wissen.

Bee schüttelte verwundert den Kopf. »Wow. Ein Kerl in einem Ford jagt hinter ihr und einem anderen Kerl her.«

Von draußen war Geschrei zu hören und wieder Bremsenquietschen. Fale wandte sich vom Fenster ab und hob angewidert die Hände.

»Nein, wirklich kein Problem«, sagte er. »Wahrscheinlich nur wieder eine Entführung, in die deine Therapeutin, entschuldige, Extherapeutin, verwickelt ist –«

Die anderen hielten mit dem, was sie gerade taten, inne, und starrten ihn an, wie er da mitten im Laden stand und auf Jeffrey zeigte. »Und das da soll euer Anführer sein?« rief Fale. »Ein staatlich geprüfter Irrer, der seiner ehemaligen Psychiaterin all seine Pläne für Gott weiß was für unverantwortliche Aktionen erzählt hat, und wer weiß, was sie uns da draußen auf die Wand geschrieben hat?«

Jeffrey ging auf Fale zu und stieß ihm den Zeigefinger in den Bauch. »*Wen interessiert es schon, was Psychiater auf Wände schreiben?*« Bee und Teddy wichen zurück, während er fortfuhr. »Ihr glaubt, ich hab ihr von der Armee der Zwölf Affen erzählt? Unmöglich! Und wißt ihr auch warum, ihr unfähigen Weicheier von Pseudotierfreunden? Ich sage euch warum – weil es vor sechs Jahren, als ich mit ihr zu tun hatte, das alles noch gar nicht gab – *ich habe noch nicht mal dran gedacht!*«

»Ach ja?« schrie Fale triumphierend zurück. »Und woher weiß sie dann, was hier los ist?«

Jeffrey warf den Kopf zurück. Seine Wut war plötzlich in Gönnerhaftigkeit umgeschlagen.

»Also gut, ich werde euch meine Theorie dazu verraten«, bot er herablassend an. »Als ich in der Klapse war, ist mein Hirn ausführlich erforscht worden. Ich wurde verhört, geröntgt, nach allen Regeln der Kunst untersucht. Und dann haben sie alles, was sie von mir wußten, in einen Computer eingegeben, der ein Modell meines Hirns geschaffen hat.«

Die anderen sahen gebannt zu, während Jeffrey sich

spreizte und große Gesten vollführte. »*Und dann*«, fuhr er fort, »haben sie mit Hilfe dieses Computers künstlich jeden Gedanken im voraus vollzogen, den ich in den, na, sagen wir mal, nächsten zehn Jahren haben würde und das Ganze anschließend durch eine Wahrscheinlichkeitsmatrix gefiltert, um rauszufinden, was ich innerhalb dieser Zeit wirklich tun würde.«

Er hielt inne und lächelte sein Publikum gnädig an. »Also wußte sie, daß ich einmal der Anführer der Armee der Zwölf Affen sein würde, und das noch vor mir selbst. Sie weiß alles, was ich je tun werde, bevor ich es selbst weiß. Was haltet ihr davon?«

Er lächelte den verdutzten Fale höhnisch an, dann bückte er sich und hob demonstrativ ein vom Stapel gerutschtes Flugblatt auf. »Und jetzt muß ich los«, meinte er gleichmütig. »Hab einiges zu erledigen. Und ihr kümmert euch um das ganze Zeug und ladet es in den Wagen. Seht zu, daß ihr auch wirklich alles habt«, betonte er in singendem Tonfall, als er zur Tür stolzierte. »Ich verschwinde jetzt.«

Fale und Teddy und Bee starrten ihm nach, sahen, wie die Tür hinter ihm zufiel. Als Jeffreys Schritte schließlich verklungen waren, wandte sich Fale den anderen mit weit aufgerissenen Augen zu.

»Er ist wirklich verrückt. Und das wißt ihr auch.«

»Ach was«, sagte Bee. Sie warf Fale einen angewiderten Blick zu, dann folgte sie Teddy ins Hinterzimmer.

Mehrere Querstraßen entfernt hockten Kathryn Railly und James Cole in einem Müllhaufen und versteckten die Köpfe hinter den Resten eines Pappkartons. Hinter ihnen ragte ein ehemals schönes Jugendstilgebäude auf, dessen verzierte Fassade jetzt mit Graffiti bedeckt und dessen Fensterscheiben alle eingeschlagen waren. Vor dem Gebäude erstreckte sich eine trostlose Barackenstadt; Männer, Frauen und Kinder hockten in Bretterverschlägen oder wärmten sich an einem kleinen Lagerfeuer.

»Pst!« flüsterte Kathryn, als Cole sich ein wenig bewegte und eine Lawine von Glassplittern auslöste. Ein paar Meter entfernt fuhr Detective Dalvas Ford langsam durch die schäbige Gasse. Kathryn konnte Dalvas Augen durch die Windschutzscheibe sehen, als er jede verrostete Mülltonne, jedes verdächtige Gesicht mißtrauisch musterte. Nach Minuten, die ihnen wie Stunden erschienen, fuhr der Wagen endlich weiter zum nächsten ausgebrannten Block. Keuchend kroch Kathryn unter dem Müll hervor und ignorierte die Blicke der Barackenbewohner.

»James! Komm schon –«

Cole schüttelte verwirrt den Kopf und stolperte hinter ihr her. Er wischte sich Sägemehl aus dem Haar und sagte dann: »Ich verstehe nicht, wieso wir das tun, Kathryn.«

Kathryn sah sich unsicher um. »Wir müssen der Polizei aus dem Weg gehen, bis ich – bis ich mit dir gesprochen habe.«

Coles Augen leuchteten. »Du meinst, bis du mich behandelt hast? Mich geheilt?«

Aber beinahe sofort wich die Hoffnung wieder aus seinen Augen. Er starrte zurück auf die Müllhaufen, aus denen sie gekrochen waren, und sagte leise: »Kathryn – diese Worte an der Wand da hinten – ich habe sie schon einmal gesehen. Ich… Ich habe davon geträumt. Als ich krank war.«

Kathryn blieb stehen und starrte ihn an. »Ich… ich weiß«, sagte sie schließlich. Sie schauderte, zog die Jacke fester um sich und bemerkte zum ersten Mal James' dünnes Baumwollhemd und die ausgeblichenen Hosen. Ihre Stimme wurde weich. »James – du frierst bestimmt. Hier…«

Sie sah sich um, und ihr Blick fiel auf ein heruntergekommenes Stundenhotel gegenüber. Zerbrochene Plastikbuchstaben verkündeten: THE GLOBE – ZIMMER FREI.

»Komm schon«, sagte sie, nahm James bei der Hand und führte ihn zur Tür des Hotels.

Drinnen saß ein uralter Empfangschef mit zitternden Händen und glasigem Geierblick hinter einem Schalter aus Resopal und starrte sie mißtrauisch an.

»Fünfunddreißig Dollar die Stunde«, krächzte er.

Kathryn sah ihn ungläubig an. »*Die Stunde?*«

Der Mann runzelte die Stirn. »Wenn ihr Viertelstunden wollt, müßt ihr woanders hin.«

In diesem Augenblick kam eine Frau die Treppe heruntergestakst, aufgedonnert mit Zopfperücke, Plateauschuhen und einem Gummikleid. James sah sie neugierig an, aber Kathryn wandte sich schnell ab und holte Geld aus ihrer Handtasche.

»Hier sind zwanzig, fünfundzwanzig, siebenundzwanzig.« Sie hielt den Alten den letzten Dollarschein hin und starrte ihn kühl an. »Für eine Stunde. Okay?«

Der Mann betrachtete die Scheine kritisch, griff schließlich danach und nahm einen Schlüssel vom Haken.

»Eine Stunde, Schatz.« Er beäugte Kathryn von oben bis unten, ihre schmutzigen Kleider und die Papierfetzen und das Sägemehl in ihrem Haar. Er zog eine Grimasse. »Nummer vierundvierzig. Vierter Stock. Die Treppe da hinten rauf. Der Fahrstuhl ist im Eimer.«

Als Kathryn nach dem Schlüssel griff, beugte sich Cole über den Resopaltisch und zischte: »Sie ist nicht dein ›Schatz‹. Sie ist eine *Ärztin*. Sie ist meine Psychiaterin. Verstanden?« Cole ließ die Faust auf den Tisch niedersausen, dann folgte er Kathryn nach oben.

»Wenn du ihn davon besser hochkriegst, Mann«, murmelte der Alte, als Cole sicher außer Hörweite war. Er wartete, bis die beiden oben verschwunden waren. Dann begann er, vor sich hinzumurmeln, griff nach dem Telefon und wählte.

»Tommy? Hier ist Charlie, aus dem ›Globe‹. Hör mal, weißt du, ob Wallace vielleicht eine Neue hat? Ziemliche Anfängerin? Bißchen verrückt – Rollenspiele und so…«

Das Treppenhaus war eng, stickig und mit leeren Schnapsflaschen und Zigarettenkippen übersät. Im Flur des vierten Stockwerks standen zwei Frauen in Unterwäsche und teilten sich eine Zigarette und ein Glas mit rosafarbener Flüssigkeit. Als Kathryn Zimmer 44 erreicht

197

hatte, stieß sie den Schlüssel ins Schloß und spürte, wie die klapprige Tür zitterte, als sie ihn herumdrehte. Dann gingen sie hinein.

Das Zimmer sah nicht besser und nicht schlechter aus als die benachbarten: schmierige graue Wände mit einem Filigranmuster aus toten Silberfischen und Kakerlaken, ein durchgelegenes Doppelbett und ein Aschenbecher, den lange niemand mehr geleert hatte. Wasser tröpfelte vom Hahn über dem Waschbecken, und der Spülkasten der Toilette war ebenfalls undicht. Cole ging zum Bett und setzte sich hin. Er war erschöpft. Er schloß die Augen und wollte sich an das abgewetzte Kissen lehnen, aber Kathryn begann sofort, auf und ab zu tigern, blieb nur hin und wieder stehen und starrte ihn mit einer Art atemlosem Staunen an, als sei sie immer noch verblüfft, ihn wiederzusehen.

»Also gut, James, als ich dich zum letzten Mal gesehen habe, hast du dagestanden und den Mond angestarrt und Blätter gegessen – und was dann?«

Cole blinzelte und rieb sich die dunklen Stoppeln am Kinn. »Ich dachte… Ich dachte, ich wäre wieder im Gefängnis.«

Kathryn blieb stehen und sah ihn forschend an. »Einfach so? Wieder im Gefängnis?«

Cole runzelte die Stirn. »Nein, nicht wirklich.« Er sah aus, als habe er Schmerzen. »Das ist alles nur… in meinem Kopf. Wie du schon gesagt hast.«

Kathryn schüttelte wild den Kopf und nahm ihre Wanderung wieder auf. »Nein! Du bist *verschwunden*! Im einen Moment warst du noch da, und dann warst du weg. Bist du in den Wald gerannt?«

»Ich weiß nicht… Ich kann mich nicht erinnern.«

Kathryn ging zu dem schmutzigen Fenster und schaute in die Gasse hinab. »Der Junge im Brunnen.« Sie drehte sich wieder zu ihm um, ihre hellen Augen blitzten. »Woher hast du gewußt, daß es nur ein Scherz war?«

Cole runzelte die Stirn. »War es das? Ich hab es nicht… *gewußt.*«

»James, du hast gesagt, er habe sich in einer Scheune versteckt.« Sie schrie jetzt beinahe.

Cole biß sich auf die Lippen und starrte einen Moment lang konzentriert an die Decke. »Ich glaube, ich habe eine Fernsehsendung darüber gesehen, als ich ein Kind war. Als ich noch klein war —«

»*Das war keine Fernsehsendung! Es ist wirklich passiert!*«

Cole setzte sich überrascht auf. Mit ihren schmutzigen Kleidern, dem wirren Haar und der wütenden Miene wirkte Kathryn Railly nicht gerade vertrauenswürdig. Er starrte sie lange an.

»Na ja, vielleicht hat der Junge dieselbe Sendung gesehen und es nachgemacht«, sagte er schließlich langsam und vorsichtig. Er rutschte zur Bettkante, dann sprach er eifrig weiter. »Es ist nämlich so – du hattest wirklich recht. Es ist alles nur in meinem Kopf. Ich bin geisteskrank, ich bilde mir das alles ein. Ich weiß, daß es sie nicht wirklich gibt. Ich kann sie reinlegen, kann sie dazu bringen, zu tun, was ich will...« Er schnippte mit den Fingern, dann winkte er verächtlich ab. »Ich habe sie in Gedanken beeinflußt, und dann bin ich wieder hergekommen. Ich kann wieder gesund werden. Und hierbleiben.«

Er sah sie mit weit aufgerissenen, ängstlichen Augen an, so sehr bemüht, ruhig zu bleiben, so begierig, wieder gesund zu werden. Kathryn erwiderte seinen Blick, stand dann plötzlich auf und griff nach ihrer Handtasche. Sie holte einen Umschlag heraus und reichte Cole ein Foto.

»Was fällt dir dazu ein?«

Es war das unretuschierte Foto des jungen Mannes im Schützengraben, wo Cole als verschwommener Schatten in der Ecke zu erkennen war. Cole starrte es verständnislos an, dann wich die Hoffnung in seinem Blick erst einem verwirrten Ausdruck und schließlich echter Angst.

»Ich... ich hatte einen Traum... der so ähnlich war«, sagte er schließlich mit zitternder Stimme.

Kathryn nahm ihm das Foto wieder ab und nickte grimmig. »Du hattest eine Kugel aus dem Ersten Weltkrieg in deinem Bein, James. Wie ist die dahingekommen?«

Cole schüttelte den Kopf, erst sachte, dann immer heftiger. »Du hast gesagt, ich sei verwirrt... Ich hätte mir eine eigene Welt gebaut... du hast gesagt, du könntest alles erklären.«

Kathryn sah ihn an. Sie war kreidebleich geworden. »Das kann ich nicht. Ich versuche es ja. Ich kann mir einfach nicht vorstellen, daß alles, was wir tun oder sagen, schon passiert ist, daß wir das, was passieren wird, nicht mehr ändern können... daß ich unter den fünf Milliarden Menschen sein werde, die... die bald sterben.«

Cole stand auf und trat zu ihr. Er hatte Tränen in den Augen, als er die Arme weit ausbreitete, als wolle er den fleckigen Fußboden, die graue Bettwäsche, das schmierige Fenster mit dem trüben Himmel dahinter und Kathryn selbst umarmen.

»Ich wollte unbedingt hier sein«, flüsterte er. »In dieser Zeit. Bei dir. Ich will... Ich will gesund werden. Ich will, daß das hier die Gegenwart ist. Ich will nicht wissen, was die Zukunft bringt.«

Er hob den Kopf. Sie sah größere Verzweiflung in seinem Gesicht, als sie je irgendwo erblickt hatte, Verzweiflung und ein beinahe rasendes Bedürfnis nach Hoffnung, danach, an irgend etwas glauben zu können – an sie glauben zu können. Sie spürte, wie sich ihr Herz zusammenzog, spürte, wie sich die Angst in ihrem ganzen Körper ausbreitete wie ein Gift. Unwillkürlich ballte sie die Fäuste und drehte sich um, hätte alles getan, um seine flehentliche Miene nicht mehr sehen zu müssen, die sie anbettelte, ihn zu retten.

Ihr Blick fiel auf das Telefon.

»James«, sagte sie. »Erinnerst du dich... vor sechs Jahren gab es eine Telefonnummer, die du anrufen wolltest, und...«

Cole nickte langsam. »Eine Frau war am Apparat.«

»1990 war es noch die falsche Nummer«, sagte Kathryn. Sie starrte das billige Plastiktelefon an als wolle sie es durch schiere Willenskraft zum Klingeln zwingen. »Aber jetzt sollte es die richtige Nummer sein. Kannst du… kannst du dich noch daran erinnern? An die Nummer?«

Mit einem lauten Krachen flog die Tür auf. Eine massige Gestalt stand im Türrahmen, kam hereingestürzt – ein hochgewachsener Mann mit langem Haar und abgewetzter Lederkleidung, die sehnigen Arme und die Hände mit Gefängnistätowierungen überzogen. Er stand mitten im Zimmer, atmete schwer, und starrte Kathryn mit eisigen blauen Augen an.

»Das hier ist mein Revier, du Miststück!« fauchte er und ging drohend auf sie zu.

Verwirrt fragte Cole: »Passiert das wirklich? Oder bilde ich mir das nur ein?«

Kathryn schüttelte den Kopf und wich zurück. »Das hier ist eindeutig die Wirklichkeit.« Sie sah Wallace an. »Entschuldigen Sie, ich fürchte, hier liegt ein kleines Mißverständnis vor…«

Der Rocker schlug ihr ins Gesicht. Mit einem Stöhnen sackte Kathryn gegen die Wand und rutschte zu Boden. Wallace wandte sich Cole zu.

»Und du? Bist wohl ein harter Bursche, wie?« Grinsend hob er die Hand. Ein Messer blitzte auf. »Willst du den Helden spielen? Willst du dich etwa mit mir anlegen? Komm schon…«

Cole zögerte, dann hob er beschwichtigend die Hände. Er ging um Wallace herum zu Kathryn, die an der Wand lehnte. Sie starrte ihn betäubt und ungläubig an und berührte vorsichtig die Haut an ihrem Auge, die bereits so geschwollen und bunt war wie eine faulende Frucht.

»Kluger Junge.« Wallace nickte und machte eine Kreisbewegung mit dem Messer. Sein Grinsen verblaßte, als er Kathryn wieder ansah. »Aber *du*, Schätzchen – wenn du glaubst, daß du einfach deinen kleinen Arsch in dieser Gegend verkaufen kannst, ohne dich vorher mit mir zu einigen, dann gibt es da tatsächlich ein Mißverständnis, und zwar ein verdammt großes!«

Er ging auf sie zu, die Hand mit dem Messer ausgestreckt. Kathryn schrie auf und packte Cole am Arm. Er schob ihre Hand weg, griff statt dessen nach ihrer Tasche und schleuderte sie hoch, ins Gesicht des Zuhälters. Als Wallace nach hinten taumelte, packte Cole seinen Arm und riß ihn fest nach oben und dann zurück. Es gab ein Geräusch, als würde schwerer Stoff zerrissen, und dann ein scharfes Krachen. Der Mann schrie auf und starrte entsetzt auf einen Knochensplitter, der an seinem Ellbogen durch die Haut gebrochen war. Scheppernd fiel sein Messer zu Boden.

»James«, flüsterte Kathryn, die Augen weit aufgerissend.

Cole schwieg. Er stürzte sich auf Wallace, warf ihn zu Boden, hockte sich auf ihn, nahm das Messer und hielt es ihm an die Kehle.

Kathryn schrie entsetzt: »James – *nein*!«

Cole zögerte.

»Du... hast gehört... was sie gesagt hat«, keuchte Wallace. Die Augen quollen ihm beinahe aus dem Kopf. »Tu es nicht, Mann.«

Unsicher kam Kathryn auf die Beine. Sie fuhr sich zitternd mit der Hand übers Gesicht, sah sich um und entdeckte schließlich einen Einbauschrank mit einer verzogenen Sperrholztür. Sie sah Cole an.

»Steck ihn in den Schrank«, sagte sie. »Aber nimm ihm erst sein Geld ab.«

Cole starrte sie verwundert an. »Du willst, daß ich ihn *beklaue*?«

Kathryn schluckte, dann nickte sie. »Ich… wir brauchen Bargeld, James.«

Sie fuhr herum, als ein Schatten auf die Wand fiel. Einen Augenblick lang sah sie ein bleiches Gesicht in der Tür, den Mund weit aufgerissen. Dann war das Gesicht verschwunden, und Schritte hallten auf dem Flur.

»Sie bringen ihn um! Ruft die Bullen!«

Cole bewegte sich ein wenig und setzte das Messer so an, daß es dicht an der Halsschlagader des Mannes unter ihm lag. Wallace verdrehte die Augen wild. Dann bewegte er ganz vorsichtig, um das labile Gleichgewicht zwischen Messer und Hals nicht zu stören, seinen heilen Arm. Langsam griff er in die Tasche und holte ein dickes Bündel Banknoten heraus. Kathryn nahm sie ihm ab und ging schnell zum Bett.

»Ihr beide seid verrückt«, zischte Wallace. Er verzog schmerzerfüllt das Gesicht. »Ich hab Freunde… Wenn ihr mich in den Schrank da steckt, werden die echt sauer sein.«

Mit einer fließenden Bewegung riß Cole den Zuhälter auf die Beine, das Messer immer noch dicht an seinem Hals. Wallace schrie auf und griff nach seinem schlaff herabhängenden Arm. Kathryn ging ans Fenster und sah hinaus. Eine verrostete Feuertreppe führte in eine Gasse, die mit alten Zeitungen und Bierdosen übersät war.

»James –« begann sie. Sie drehte sich gerade noch rechtzeitig um, um Cole mit Wallace im Bad verschwinden zu sehen. Ein leises Klicken ertönte, als er die Tür hinter sich verriegelte.

»James!« schrie sie. Verzweifelt rüttelte sie an der Klinke, warf sich gegen die Tür. »Bitte…«

Sie konnte die häßliche Stimme des Zuhälters hören, der immer noch versuchte zu drohen. »Ich habe Freunde, Mann… wenn du mich aufschlitzt…«

»James! Tu ihm nichts! Bitte!«

»Ich meine es ernst, Mann, sie werden – *Scheiße!* Verdammt, was machst du da?«

Kathryn hämmerte an die Tür. Tränen liefen ihr über die Wangen. Plötzlich ging die Tür auf. Kathryn verlor das Gleichgewicht und mußte sich an der Wand abstützen, als Cole wieder herauskam. Er hatte das Messer in der Hand. Blut tropfte von der Klinge und von seiner Hand, die bis zum Gelenk blutüberströmt war.

»O Gott, James – hast du ihn umgebracht?«

Er schüttelte den Kopf. »Nur… nur für den Fall«, sagte er undeutlich. Blut rann ihm aus dem Mund, als er sprach. »Für den Fall, daß ich *nicht* verrückt bin…«

Er hielt zwei blutige Brocken hoch, etwa von halber Daumenlänge. Es dauerte einen Moment, bevor Kathryn klarwurde, daß sie zwei seiner Backenzähne vor sich hatte.

»Damit finden sie uns wieder«, erklärte er. Blut tropfte weiter auf den Boden. »Mit den Zähnen.«

Er sah sie an. Und trotz des Bluts und des Drecks, trotz seiner blutunterlaufenen Augen, des Messers und des ganzen Wahnsinns war es, als sähe sie ihn zum ersten Mal. Nicht den psychotischen Exsträfling, der sie sechs Jahre lang verfolgt hatte, sondern einen ganz anderen Menschen, einen Mann, der weinte, wenn er den Mond sah und dabei kein bißchen lächerlich wirkte, einen Mann, der immer noch an die alten Lieder glaubte, einen Mann, dessen Gefühle nicht durch Raum oder Zeit gebunden waren, nicht einmal durch die schwachen Zuckungen des menschlichen Geistes...

Einen Mann, der sie liebte.

Einen Augenblick lang standen sie so da. Und irgendwie wußte Kathryn, daß hier etwas geschah, worauf sie schon lange nicht mehr zu hoffen gewagt hatte und dem sie nie wieder so nahe kommen würde wie jetzt: ein Fünfunddreißigdollarzimmer in einem Stundenhotel, ein vor Schmerzen stöhnender Zuhälter nebenan und ein blutüberströmter Mann, der sie ansah, als sei sie die Pieta. Und irgendwie genügte das.

Plötzlich begannen die Dielen unter ihren Füßen zu zittern. Aus dem Flur dröhnten schwere Schritte von Stiefeln.

»POLIZEI! WERFEN SIE DIE WAFFEN IN DEN FLUR UND KOMMEN SIE RAUS!«

Schweigend streckte Cole die Hand aus. Sie nahm sie und folgte ihm zum Fenster, wartete, als er es aufschob und hinausstieg und sie dann sanft hinter sich her auf die Feuertreppe zog.

»He! Ist da die Polizei? Ich bin ein unschuldiges Opfer!« schrie Wallace aus dem Bad. Ein Polizist in Uniform stürzte ins Zimmer und duckte sich, die Pistole im Anschlag. Er fand sich in einem leeren Zimmer. »Verdammt, holt mich hier raus! Ich bin von einer vollgekoksten Nutte und einem verrückten Zahnarzt überfallen worden!«

Mehr Polizisten brachen herein und stießen Möbel um, als sie zum Fenster rannten und in die Gasse hinuntersahen, wo Blut wie Blütenblätter auf alten Zeitungen schimmerte.

Leute, die ihre Weihnachtseinkäufe bereits erledigt hatten, liefen eilig zur Bordsteinkante, als der Bus anhielt, und drängten sich, die Arme vollgepackt mit grellen Einkaufstüten, auf die Türen zu. Die Bustüren öffneten sich und spuckten weitere drängelnde Menschen auf die Straße. Über ihren Köpfen zogen sich goldene und grüne Girlanden von einer Straßenlampe zur nächsten und glitzerten im schwachen letzten Sonnenlicht. Weiße Lichterketten in den Bäumen hoben sich gegen das erste Zwielicht der Abenddämmerung ab. Vor teuren Kaufhäusern flatterten Baldachine im Wind: Wannamaker's, Bloomingdale's, Neiman Marcus. Musik erklang, die schweren Blechklänge einer Heilsarmeekapelle mischten sich mit dem zarten Klimpern von Handglocken.

Der Bus stieß eine Wolke bläulicher Auspuffgase aus und fuhr wieder an. An der Bordsteinkante war es jetzt nicht mehr so belebt, und Kathryn Railly suchte in der Nähe der Schaufenster Schutz, wo das Gedränge dichter war. Sie hatte ihr blaues Auge hinter einer Sonnenbrille verborgen. Neben ihr ging Cole, der ein blutiges Taschentuch auf den Mund gedrückt hielt. Er starrte die Hunderte von Menschen, die hell erleuchteten Schaufenster und die lachenden Kinder an wie jemand, der gerade aus einem Alptraum erwacht.

»Behalt den Kopf unten und versuch, so wenig wie möglich aufzufallen«, flüsterte Kathryn. Sie nahm ihn an der Hand und zog ihn dichter an sich. »Wir bleiben hier in der Menge. Es muß irgendwo eine Telefonzelle geben – da!« Aufgeregt zeigte sie auf eine Zelle an der Ecke. »Los, rein.«

Sie schob ihn an einer Gruppe blauuniformierter Heilsarmeeangehöriger vorbei, die sich um einen grellroten Kessel versammelt hatten. Cole blieb stehen, starrte sie an und schüttelte bedächtig den Kopf.

Kathryn zerrte an seiner Hand, aber er wich nicht von der Stelle. In der kalten Luft hing der Geruch von Fichten und Holzrauch, mischte sich mit der Musik und weckte vage Erinnerungen in ihm, die langsam klarer wurden. Er hob den Kopf, die Musik trieb wie ein Regenschleier über ihn hinweg, und er sah nach oben. Unwillkürlich riß er

Mund und Augen auf, irgendwo gefangen zwischen Staunen und Entsetzen.

Es war das Haus aus seinem Traum: das üppig verzierte, verfallende Gebäude, das er gesehen hatte, nachdem er dem Abflußkanal entstiegen war, das Haus, vor dem er Schnee gesehen und das entfernte Heulen von Wölfen gehört hatte. Er sah, wie sich auf dem Dach eine königliche Silhouette abzeichnete, mit goldener Mähne, den Kopf zurückgelegt, so daß das Fell in der Sonne glühte.

»James! Hör mir doch zu –«

Er zuckte zusammen. Kathryn ließ seine Hand los und erklärte: »Ich werde diese Telefonnummer ausprobieren. Wir wollen hoffen, daß nichts –«

Verwirrt sah er, wie sie davoneilte, wie ihr dunkler Kopf in der Menge der Weihnachtseinkäufer verschwand und dann ein Stück weiter entfernt wieder auftauchte. Ein paar der anderen Leute waren jetzt nah genug, daß er ihre Gesichter sehen konnte, ihr Lächeln, mit dem sie die obligatorischen vorweihnachtlichen guten Wünsche austauschten und das plötzlich erstarrte, wenn sie den hochgewachsenen, irgendwie betäubt wirkenden Mann entdeckten, der wie der Überlebende eines Autounfalls am Bordstein stand. Cole drückte sich das Taschentuch fester auf den Mund und wich zurück. Jemand rempelte ihn an, und er stieß gegen ein Schaufenster. Als er sich umdrehte, erstarrte er vor Schreck: Nur Zentimeter von ihm entfernt hatte sich ein Bär auf die Hinterbeine erhoben, das Maul weit aufgerissen, die Fangzähne gefletscht.

»James! James –«

Durch Musik und Gelächter drang Kathryns Stimme zu ihm. Er schüttelte sich, sah, daß der Bär nur Teil einer aufwendigen Weihnachtsdekoration war, zu der auch Spielzeugeisenbahnen gehörten, die mit Kunstschnee beladen waren, und eine Berglandschaft, in der winzige Skiläufer die Hänge hinabglitten und weiteren Kunstschnee aufwirbelten.

»Schon gut, James. Wir sind einfach nur vollkommen verrückt.«

Lachend kam Kathryn auf ihn zugelaufen, nahm ihn an der Hand und umarmte ihn ungeschickt. Ein Passant warf ihnen einen seltsamen Blick zu, zuckte dann die Achseln und ging weiter. »Es ist eine Teppichreinigungsfirma.«

Cole ließ sich von ihr wieder auf den überfüllten Bürgersteig zurückführen. »Eine Teppichreinigungsfirma?«

»Keine Wissenschaftler!« Kathryn warf vergnügt den Kopf zurück. »Keine Überwacher aus der Zukunft. Einfach nur eine Teppichreinigungsfirma. Sie haben einen Anrufbeantworter – man kann eine Nachricht hinterlassen und ihnen sagen, wann sie einem den Teppich reinigen sollen.«

Cole schüttelte den Kopf. »Und du... du hast ihnen eine Nachricht hinterlassen?«

Kathryn grinste. Ihre Wangen glühten, sie sah aus wie ein Schulmädchen am ersten Tag der Winterferien.

»Ich konnte einfach nicht widerstehen«, erklärte sie

atemlos. »Ich war *so* erleichtert. Warte, bis sie hören, wie diese Verrückte ihnen erzählt, daß sie sich vor der Armee der Zwölf Affen in acht nehmen sollen. Ich hab ihnen von der Gesellschaft zur Befreiung der Tiere erzählt –«

Cole starrte sie entsetzt an. Mit angespannter, angsterfüllter Stimme fiel er in ihre Rezitation ein:

»Die Gesellschaft zur Befreiung der Tiere in der Second Avenue ist das geheime Hauptquartier der Armee der Zwölf Affen. Das sind die Leute, die dafür verantwortlich sind. Ich kann jetzt nichts mehr tun. Und ich muß jetzt gehen. Fröhliche Weihnachten.«

Kathryn hielt inne und starrte Cole ungläubig an. Sie warf einen Blick über die Schulter zu der Telefonzelle, die zwanzig Meter entfernt war. »Du... du kannst mich auf keinen Fall gehört haben.«

Cole sah sie glasig an. »Sie haben deine Nachricht bekommen, Kathryn«, sagte er. Und nun hatte er nicht mehr Kathryn vor Augen, sondern einen Kreis angespannter Gesichter und das Ende eines Tonbandes, das von der Spule flatterte. »Sie haben es mir vorgespielt. Es war eine sehr schlechte Aufnahme... sehr verzerrt. Ich habe deine Stimme nicht erkannt.«

Kathryns Entsetzen spiegelte sich in ihrer Miene. »Mein Gott«, flüsterte sie.

Auf der Straße hinter ihnen hupte jemand. Kathryn zuckte zusammen und drehte sich um. Ein uniformierter Polizist starrte aus einem Streifenwagen heraus, der sich langsam durch den dichten Verkehr schob. Der Polizist spähte, blinzelte, runzelte die Stirn und griff dann nach dem Funkgerät.

»Komm mit.« Kathryn griff nach Coles Hand und eilte auf einen roten Baldachin zu, der den Eingang von Bloomingdale's überspannte. Sie betraten eilig das Kaufhaus und hätten dabei beinahe eine Frau umgerannt, die ein Glastablett mit schweren Parfumflakons hielt.

»He!«

Kathryn rannte weiter und achtete nicht auf die Blicke, die ihnen wohlgekleidete Kunden zuwarfen. Cole folgte ihr, und Blut spritzte auf sein Hemd, als er sich mit dem blutdurchtränkten Taschentuch den Mund abtupfte. Kathryn blieb vor einem verdutzen Verkäufer stehen, der einen zu groß geratenen Kaschmirpullover und eine Fliege trug.

»Herrenabteilung?« fragte sie.

Der Verkäufer starrte sie an, dann runzelte er die Stirn und zeigte auf eine Rolltreppe. »Zweiter Stock. Rechts. Aber – kann ich sonst noch etwas für Sie tun?«

»Nein!« rief Kathryn über die Schulter zurück. Sie zerrte Cole auf die Rolltreppe. Er stolperte und mußte sich am Geländer festhalten, als sich die Stufe unter ihm bewegte und sie durch Wolken von Engelshaar und Lametta nach oben fuhren.

Im zweiten Stock angekommen, eilte Kathryn ohne zu zögern weiter, bis sie vor einer Gruppe von männlichen Schaufensterpuppen in Flanellunterhosen mit Paisleymuster standen.

»Hier«, sagte sie. Sie fing an, sich durch Reihen von

Hemden und Hosen und Pullovern zu wühlen und warf Cole dann mehrere Kleidungsstücke von einem Tisch mit Sonderangeboten zu. Cole fing die Sachen ungeschickt auf, folgte ihr immer noch blind. Ein paar Schritte entfernt stand ein Verkäufer mit dem Gebaren eines beleidigten Harvard-Absolventen hinter einer Kasse und beobachtete die beiden mit wachsendem Mißtrauen.

An einem Ständer mit Ferienkleidung riß Kathryn ein Hawaiihemd vom Bügel, nahm Cole die anderen Sachen wieder ab und stürzte auf die Theke zu.

»...und das hier.« Sie setzte zu einem Lächeln an und überlegte es sich dann anders. Statt dessen wandte sie sich Cole zu. »Noch was?«

Aber Cole war nicht mehr da. Er stand mehrere Meter entfernt und starrte mit riesigen, erschrockenen Augen einen gewaltigen Weihnachtsbaum an. Der Baum ragte über Kleiderständern und eifrigen Kunden auf, seine Zweige waren mit bunten Glaskugeln und durchscheinenden Kristallvögeln, zarten goldenen und grünen Ketten und leuchtendroten Sternen beladen. An seiner Spitze war ein Engel mit dem makellosen Gesicht und dem goldenen Haar eines Renaissanceporträts angebracht, dessen ausgestreckte Arme von einem Paar silbriger Flügel überschattet wurde. Cole starrte das Gesicht des Engels an und sah resigniert und verängstigt vor sich, wie das Porzellangesicht brach und wie Schnee herabrieselte, während Tauben geräuschvoll aufflatterten und in eine andere düstere Ecke des verfallenen Gebäudes flüchteten.

»James.«

Cole drehte sich mit ausdruckslosem Blick um. Kathryn, die immer noch an der Theke stand, die Kleidungsstücke vor sich aufgehäuft, warf dem Verkäufer einen entschuldigenden und gespielt verärgerten Blick zu.

»Ich denke, das war's«, erklärte sie mit aufgesetzter Fröhlichkeit.

Der Mann schenkte ihr ein kühles Lächeln. »Soll ich es auf Ihre Rechnung setzen, Ma'am?«

»Nein.« Sie schob die Hand in die Handtasche. »Ich zahle bar.« Der Verkäufer riß die Augen auf, als sie die Banknoten aus dem dicken Bündel abzählte. »In welchem Stock gibt es Perücken?«

Der Verkäufer begann, Kathryns Einkäufe fein säuberlich in Seidenpapier einzuschlagen.

»Das ist nicht nötig«, sagte Kathryn und schob einfach alles in eine Plastiktüte. Sie drehte sich um und flüchtete zu Cole.

»Frohe Weihnachten«, rief ihr der Verkäufer nach und zog eine Grimasse. Als sie auf die nächste Rolltreppe zuging, griff er nach dem Telefon.

Es war Nacht. Der abnehmende Mond warf goldene Streifen auf den braun gewordenen Rasen vor einem Lagerhaus, brachte für Sekunden eine Zeitschriftenseite, die im Wind flatterte, zum Aufglänzen. Schatten sammelten sich in leeren Fenstern, die mit Draht und Brettern vernagelt waren. Auf dem Parkplatz stand ein schmutziger Lieferwagen, be-

malt mit grotesken riesigen Silberfischen und Küchen-
schaben und etwas, das wie gigantische Krebse aussah, die
mit den Fühlern fuchteln.

Der rasende Kammerjäger
Schädlingsfrei zum guten Preis

Drinnen im Wagen flackerte Licht auf, als eine Taschenlampe eine Reihe aufgeregter Gesichter anstrahlte. Mondlicht schien durchs Fenster herein, auf die glatte Oberfläche von Teddys rasiertem Schädel, auf das Ankh, das auf
seine Wange tätowiert war. Auch von den anderen waren
im Dunkeln nur die Gesichter zu sehen, weil sie vollkommen schwarz gekleidet waren.

»Und dann fängt er mit dieser unglaublichen Geschichte
an, wie seine Therapeutin ihm praktisch das Hirn kopiert
und in einen Computer eingespeist hat, als er in der Klapse
war.«

Teddy lachte, amüsiert über seinen eigenen Bericht, und
setzte sich zurück auf die Hacken. Er hatte einen schweren Ledergürtel umgebunden, an dem Schraubenschlüssel,
Hämmer und ein großer Lötkolben hingen. Die anderen
waren ähnlich ausgerüstet: Bolzenschneider, Zangen,
Bergsteigerausrüstung.

»Und Fale ist wirklich drauf reingefallen?«

Teddy zuckte mit den Achseln. »Ach, ihr kennt doch
Fale! ›Wenn ihr erwischt werdet – und ich bin sicher, daß
das passiert – dann bin ich euch nie begegnet!‹«

Allgemeines Gelächter, unterbrochen von einem scharfen, rhythmischen Klopfen an der Seitentür.

»Ho, Nellie«, flüsterte eine der Frauen und schob die Tür auf.

Draußen im Mondschein stand Jeffrey und grinste breit. »Guten Morgen, meine Lieben.« Hinter ihm traten drei weitere Aktivisten aus dem Dunkeln, die einen großen, schwarzen Müllsack mitschleppten, in dem sich etwas bewegte.

»Na, dann los!«

Teddy lehnte sich aus dem Wagen, um den anderen mit der zappelnden Tüte zu helfen. Dann lag sie bebend auf dem Boden des Lieferwagens, wie eine riesige Schmetterlingspuppe. Jeffrey und die anderen setzten sich nach vorn.

»Fangen wir an!«

Der Motor sprang stotternd an, dann rollte der Lieferwagen vom Parkplatz und war schon bald auf der Schnellstraße. Der Müllsack zappelte und stöhnte weiter, während Jeffrey, der hinter dem Vordersitz hockte, ihre Route mit einer kleinen Taschenlampe auf dem Stadtplan verfolgte.

»Also, das ist Stufe eins«, verkündete er dramatisch und ignorierte demonstrativ den Müllsack hinter sich. »Auf Stufe zwei ist Affe vier hier drüben –«

Teddy und ein paar andere beobachteten den zuckenden Müllsack mit wachsender Unruhe. »Wieso können wir den Sack nicht aufmachen?« fragte Teddy, als sie sicher auf der Schnellstraße waren. »Seine Augen sind doch verbunden, oder?«

Jeffrey blickte kurz auf und zuckte vergnügt mit den Achseln. Er warf dem Fahrer den Stadtplan in den Schoß und beugte sich wieder über den Müllsack, packte ihn mit beiden Händen und riß ihn auf. Schwarze Plastikfolie rutschte zur Seite und enthüllte die fest verschnürte Gestalt von Dr. Leland Goines, dessen Mund und Augen mit silberfarbenem Isolierband verklebt waren.

Jeffrey grinste boshaft. »Wollt ihr auch den passenden Ton dazu hören?«

Bevor jemand antworten konnte, riß er seinem Vater das Band vom Mund. Dr. Goines stöhnte, warf den Kopf vor und zurück, dann schrie er heiser auf.

»Jeffrey? Ich weiß, daß du das bist, Jeffrey. Ich erkenne deine Stimme.«

Jeffrey legte den Finger an die Lippen und sah sich um, wies die anderen an zu schweigen.

»*Jeffrey?*« Dr. Goines leckte sich den trockenen Mund. Er hustete, was seinen ganzen Körper durchrüttelte. »Also gut. Ich weiß alles über deinen wahnsinnigen Plan. Diese Frau – deine Psychiaterin – hat mir alles gesagt.«

Jeffrey zog überrascht die Brauen hoch, während sein Vater fortfuhr: Goines' blindes Gesicht wirkte im Dämmerlicht unheimlich.

»Ich habe ihr nicht geglaubt – das Ganze kam mir selbst für deine Verhältnisse zu verrückt vor. Aber ich habe trotzdem Maßnahmen ergriffen, um sicherzustellen, daß du es nicht tun kannst. Ich kenne den Code nicht mehr – ich habe keinen Zugang! Ich hab mir selbst die Zugangsberechti-

217

gung entzogen! *Ich habe keinen Zugang mehr zu dem Virus!* Also mach, was du willst – foltere mich, bring mich um, was auch immer. Es wird dir nichts helfen.«

Die jungen Leute rückten dichter zusammen, wechselten erstaunte, sogar ängstliche Blicke. Jeffrey wandte sich ihnen zu und hob die Hände in gespieltem Entsetzen.

»Keine Berechtigung mehr?« schrie er. »Der wichtigste Mann hat sich selbst die Lizenz entzogen?« Er lachte, laut und ungläubig, während Teddy und die anderen in die andere Ecke des Wagens zurückwichen.

Dr. Goines drehte den Kopf, folgte dem Klang von Jeffreys Stimme. »Ich hab es nie wirklich glauben können«, sagte er, und seine Stimme war dünn und schrill wie die einer alten Frau. »Ich habe es nie wirklich glauben *wollen*, nehme ich an – daß mein eigener Sohn... aber jetzt glaube ich es.«

Er spuckte die letzten Worte regelrecht aus, so daß selbst Jeffrey das Gesicht gequält verzog.

»Jeffrey... du bist vollkommen *wahnsinnig*.«

Aus dem Dunkeln tauchte ein Schild am Straßenrand auf: AUSFAHRT PHILADELPHIA ZOO.

»Halt die Schnauze«, sagte Jeffrey und trat seinen gefesselten Vater in die Rippen. »Halt die Schnauze, halt die Schnauze, halt die Schnauze...«

Die anderen duckten sich in ihrer Ecke, als Jeffrey weiter und weiter tobte und sich seine Stimme drohend erhob, während der Wagen in die Ausfahrt Richtung Zoo einbog.

Gespenstische Musik erklang in dem Kinosaal, in dem kaum ein Dutzend Leute saßen, die vor der Kälte oder den Feiertagen oder noch Schlimmerem hierher geflüchtet waren. Auf der Leinwand ragten gewaltige Koniferen in den Himmel, unter denen zwei winzige Gestalten im Wald spazierengingen.

»Den Kerl kenne ich doch«, sagte James Cole, und seine Stimme übertönte für einen Augenblick die von Stewart. Er reckte den Hals, als Kathryn am Kragen seines neuen Hemdes zupfte. »Und sie auch.«

»Pst!« zischte jemand hinter ihnen.

»Hier ist ein Querschnitt durch einen der alten Bäume, der abgesägt wurde.« Stewart schlängelte sich vor die gewaltige Holzscheibe. Neben ihm betrachtete Kim Novak die Beschriftungen, die anzeigten, wie dick der Baum an bestimmten Punkten seines unglaublich langen Lebens gewesen war.

Christi Geburt
Entdeckung Amerikas
Unterzeichnung der Magna Charta
1066 – Schlacht von Hastings
1930 – Baum abgesägt

Kim Novak deutete auf eine Stelle, und ihre Stimme klang zutiefst melancholisch. *»Irgendwann in diesem Zeitraum bin ich geboren. Und hier – sterbe ich. Für dich ist das nur ein Augenblick. Du bemerkst es nicht einmal.«*

»Hier, James, ich helfe dir.«

Kathryn nahm etwas aus ihrer Handtasche und begann, es auf Coles Oberlippe zu verreiben. Er rutschte unruhig hin und her wie ein Kind, versuchte, weiter auf die Leinwand zu schauen. »Ich glaube, ich habe diesen Film schon mal gesehen. Als ich ein Junge war. Er lief im Fernsehen.«

Kathryn runzelte die Stirn, immer noch auf seine Lippe konzentriert. »Pst – sei still. Und beweg dich nicht.«

»Ich *habe* ihn gesehen, aber an diese Stelle kann ich mich nicht erinnern. Komisch, es ist wie das, was uns passiert, wie die Vergangenheit.« Einen Augenblick lang saß er still und starrte fasziniert auf die Leinwand. »Der Film ändert sich nie – er kann sich nicht ändern – aber jedesmal, wenn man ihn sieht, kommt er einem anders vor, weil man selbst anders ist. Es fallen einem andere Dinge auf.«

Kathryn hielt inne, ließ die Hände in den Schoß sinken. Sie sah ihm in das jungenhafte Gesicht, das seine Begeisterung für den Film so deutlich zeigte, und hob langsam eine Hand, um sie ihm auf die Wange zu legen.

»Wenn wir schon nichts ändern können«, flüsterte sie, »weil es schon passiert ist, dann sollten wir wenigstens den Duft der Blumen genießen.«

»Blumen?« Cole drehte sich um und sah sie überrascht an. »Was für Blumen?«

»Pst!«

Kathryn warf den hinter ihnen Sitzenden einen entschuldigenden Blick zu, dann griff sie nach einer Einkaufstasche, die vor ihren Füßen stand. »Das ist nur so ein Ausdruck. Hier –«

Sie holte etwas aus der Tasche und drückte es auf Coles Kopf, warf ihm einen prüfenden Blick zu, zupfte etwas zurecht. Cole sah sie an, nicht mehr jungenhaft, nur noch erschöpft.

»Wieso tun wir das?«

Kathryn nahm seine Hände in die ihren und redete eindringlich auf ihn ein. »Damit wir die Köpfe aus dem Fenster stecken und den Wind spüren und die Musik hören können. Damit wir genießen können, was wir haben, so lange es noch da ist.« Ihre Stimme brach, und sie wandte sich ab. »Entschuldige. Psychiater weinen eigentlich nicht.«

Das von der Leinwand reflektierte Licht ließ ihre Augen glitzern, hell vor Tränen. Cole beobachtete sie beunruhigt, dann schüttelte er den Kopf.

»Aber vielleicht habe ich unrecht. Vielleicht hast *du* unrecht. Vielleicht sind wir beide verrückt.«

Kathryn starrte gefaßt auf die Sitzlehne vor sich und umklammerte die Knie mit den Händen. »In ein paar Wochen wird es angefangen haben oder nicht. Wenn es dann immer noch Footballspiele und Verkehrsstaus gibt und bewaffnete Überfälle und langweilige Shows im Fernsehen, dann werden wir so glücklich sein, daß es uns nichts mehr ausmacht, uns der Polizei zu stellen.«

»Pst!«

Cole sackte tiefer in seinen Sitz und flüsterte: »Aber wo können wir uns für ein paar Wochen verstecken?«

Auf der Leinwand schwiegen James Stewart und Kim Novak gerade. Das Geräusch von Wellen erfüllte den Kinosaal, und der Wind zauste Kim Novaks helles Haar. Kathryn sah Cole an.

»Du hast doch gesagt, du hast nie das Meer gesehen.«

Er nahm sie in die Arme, vergrub das Gesicht in ihrem Haar und sagte ihren Namen, immer und immer wieder, und kümmerte sich nicht mehr um die Proteste der hinter ihnen Sitzenden.

> *»Morgen gehn wir mit Paps in den Zoo*
> *darauf freu'n wir uns schon so*
> *wir gehen in den Zoo hinein*
> *und überhaupt nicht wieder heim…«*

Unter den mondbeschienenen Bäumen drang Jeffrey Goines' Stimme hervor, gefolgt von einem Chor verärgerten Geflüsters.

»Mensch, Jeffrey, jetzt bau keinen Mist!«

»Halt die Klappe!«

»Halt *du* sie doch!«

Die schattenhaften Gestalten blieben unter einer kahlen Eiche stehen, die ihre Äste hoch in den Himmel reckte. Wieder erhoben sich Stimmen, als ein Rascheln aus dem Dunkel drang, das Brüllen eines wütenden Tieres und dann die klägliche Stimme eines Mannes.

»Wo bist du? Was machst du mit mir? Jeffrey, bitte…«

Die Stimme wurde von einem geheimnisvollen gutturalen Fauchen abgeschnitten. Im Schatten der Eiche rückte die kleine Gruppe dichter zusammen.

»Äh, Jeffrey…« erklang dann ein drängendes Flüstern. »Könnte es sein –«

Jeffreys Stimme ertönte, gefolgt von einem weiteren Fauchen, diesmal erheblich näher. »Ich glaube, wir sollten lieber verschwinden«, rief er und rannte auf das Zootor zu, als ein riesiger Schatten aus dem Gebüsch hinter ihnen brach. Die anderen drehten sich um, folgten ihm und rannten zum Lieferwagen.

Er steht an demselben Strand, an dem Jimmy Stewart noch Augenblicke zuvor gestanden hat. Ganz in der Nähe brechen sich die Wellen am Strand. Ein Vogel schreit. Er drückt die bloßen Zehen in den Sand, runzelt nachdenklich die Stirn – wie fühlt sich Sand eigentlich an? – und blickt dann auf. Das Vogelgeschrei wird lauter, drohender. Er sieht, daß der Himmel sich verdunkelt, die Sonne verschwindet hinter einem plötzlichen Pandämonium von Flügeln, Metall klirrt auf Metall, Käfige, die sich öffnen, während das Vogelgeschrei sich zu einem kreischenden Crescendo steigert. Mit einem Aufschrei warf sich Cole nach vorn und stieß sich den Kopf am Sitz in der Reihe vor ihm. Stöhnend blickte er auf.

Vögel. Überall Vögel, und eine schreiende blonde Frau, die in einem kleinen Zimmer kauerte und die Arme schützend gegen hackende Schnäbel und flatternde Flügel erhoben hatte.

»Kathryn?«

Cole kam taumelnd auf die Beine und sah sich voller Panik um. Das Kino war leer.

»Kathryn!«

Er stürzte in den Flur und lief hinkend in die Eingangshalle. Flackernde Lichter gestatteten einen kurzen Blick auf abgewetzte, schmierige Tapeten, auf den alten Platzanweiser, der schnarchend auf seinem Veloursessel zusammengesackt war, und auf abblätternde Plakate, die prahlerisch verkündeten RUND UM DIE UHR UND HITCHCOCK FESTIVAL!!! Es waren keine anderen Kinobesucher mehr da, nur eine blonde Frau, die am Münztelefon stand. Cole stolperte mitten in die Halle und sah sich hektisch um. Die blonde Frau legte den Hörer auf, drehte sich um und sprach ihn an.

»Wir haben Plätze in der Maschine nach Key West, um halb zehn.«

Cole starrte sie erschrocken an. Kathryn und doch nicht Kathryn; ihr dunkles Haar war unter einer blonden Perücke verborgen, die Augen stark geschminkt, der Mund mit grellrotem Lippenstift betont. Sie trug glitzernden goldenen Modeschmuck um den Hals und riesige Ohrringe, einen engen geblümten Rock mit passender Bluse und rote, hochhackige Schuhe. Cole schüttelte den Kopf und wich einen Schritt zurück, sah sich immer noch um, als erwartete er, daß die *wahre* Kathryn plötzlich auftauchen könnte. In diesem Augenblick sah er sein eigenes Spiegelbild in einem der halbblinden Wandspiegel: ein muskulöser Mann in einem knallbunten Hawaiihemd, und sein Schnurrbart und sein Haar waren ebenso blond wie das der Frau. Er berührte sein Gesicht, tastete verwirrt über das borstige Haar auf seiner Oberlippe. Schließlich wandte er sich beschämt wieder Kathryn zu.

»Ich hab dich überhaupt nicht erkannt.«

Sie lächelte und ging zu ihm. »Na ja, du siehst auch ziemlich verändert aus.«

»Du bist schon immer« – er berührte sanft ihre Wange, bewegte die Hand, um ihr über die Schläfe zu streichen – »in meinem Traum gewesen.«

Sie betrachtete ihn forschend und mit ernstem Blick. »Ich kann mich auch daran erinnern, daß du so ausgesehen hast«, sagte sie schließlich. »Ich hatte immer schon das Gefühl, daß ich dich kenne. Ich glaube, ich habe dich immer gekannt.«

Sie sahen einander an, die Stimmen aus dem Kino hoben und senkten sich um sie wie Wellen. Dann riß sich Kathryn zusammen und zog Cole hinter sich her an dem schlafenden Platzanweiser, dem verlassenen Erfrischungsstand und den Reihen von Pfosten vorbei, bis sie an eine unbeschriftete Tür kamen, die einen Spalt weit offenstand. Im Halbdunkel sah Cole Mülltonnen aus Plastik, Besen und alte Filmplakate an den Wänden.

»James…«

Sie zupfte an dem Hemd, das sie ihm so sorgfältig zugeknöpft hatte, riß es auf, damit sie ihm über die Brust streicheln konnte. Er stöhnte und drückte sie an sich, bog ihren

Kopf zurück, bis er ihren Mund fand, und küßte sie, dann fielen beide auf den Boden, mitten zwischen die Überreste Tausender dunkler Nachmittage und trüber Morgen. Sie schob sich unter ihn, und Cole riß ihr die Kleider vom Leib, die zu grelle Bluse und den Modeschmuck und die goldblonde Perücke, er ließ seine Hände suchend über ihren Körper gleiten, als wolle er die andere Frau finden, von der er gerade noch befürchtet hatte, sie verloren zu haben, obwohl er doch sein ganzes Leben lang darum gekämpft hatte, sie zu finden, wieder und wieder.

Danach schliefen sie ein, schliefen unruhig zwischen Stapeln alter Kinositze. Kathryn erwachte als erste, spähte besorgt nach draußen und sah, daß der Platzanweiser ebenfalls immer noch fest schlief.

»James!« flüsterte sie. »Wir müssen gehen.«

Er regte sich, brummte leise, doch dann lächelte er, als er sie erkannte.

»Ich habe geträumt«, sagte er. »Aber diesmal war es ein anderer Traum. Glaubst du, das hat etwas zu bedeuten?«

Sie zog sich den Rock glatt, dann zupfte sie Coles Perücke zurecht und betrachtete ihn kritisch. »Wir sollten lieber sehen, daß wir hier rauskommen, bevor Dornröschen da draußen erwacht.«

Sie schlichen sich aus der Abstellkammer und wieder zurück in den Kinosaal, wo gerade der Vorspann von *Vertigo* lief. Als sie den Mittelgang entlangeilten, kamen sie an einem anderen Paar vorbei, einem Jungen und einem Mädchen, die einander in den Armen hielten und fest eingeschlafen waren. Cole sah sie wehmütig an, dann lächelte er.

»Key West, ja? Dann werde ich das Meer ja doch noch sehen...«

Draußen sickerte das erste trübe Morgenlicht über die Hauswände. Ein Lieferwagen fuhr vorbei, und ein Mann warf Zeitungen aus dem Laderaum vor verschlossene Türen. Aus einem Café unten an der Straße drang der Geruch von Kaffee und Backwaren auf die Straße. Cole warf einen sehnsüchtigen Blick in diese Richtung, aber Kathryn hatte die Straße schon halb überquert und ein Taxi herangewinkt.

»James – hier rüber –«

Hinter dem Steuer saß eine ältere Frau mit weißem Haar und einer karierten Jacke. »Laß die Dame nicht warten, mein Junge«, sagte sie mit schleppendem Südstaatenakzent. »Wann fliegt ihr, Freunde?«

Cole zuckte mit den Achseln und sah Kathryn an, die nun wieder blond war und eine Sonnenbrille und grellen Lippenstift trug.

»Halb zehn«, sagte sie, tätschelte Coles Knie und grinste.

Das Taxi fuhr an. »Könnte knapp werden«, meinte die Fahrerin.

Kathryn war verblüfft. »Knapp?« Sie sah auf ihre Armbanduhr. »Es ist doch erst halb acht.«

Die Taxifahrerin nickte. »An einem normalen Morgen wäre das auch okay, mehr als genug Zeit, aber heute muß

227

man den Armee-der-Zwölf-Affen-Faktor mit einrechnen.«

Kathryn erstarrte. »*Was? Was haben Sie da gesagt?*«

Die Frau warf ihnen einen kurzen Blick zu. »Zwölf Affen, Schätzchen. Habt ihr heute morgen kein Radio gehört?« Sie steckte sich eine Zigarette an und erzählte weiter.

»Ein paar Spinner haben letzte Nacht alle Tiere im Zoo freigelassen. Und dann haben sie diesen berühmten Wissenschaftler in 'nen Käfig gesperrt. Der Sohn von diesem Wissenschaftler soll selbst mit dabeigewesen sein!« lachte sie. Cole und Kathryn starrten sich verdutzt an. »Und jetzt laufen hier überall die Viecher rum! Vor 'ner Stunde hab ich unten am Schuylkill 'ne Herde Zebras gesehen, und so 'n Vieh, das angeblich ›E-muh‹ heißt, hat auf der Route 676 den Verkehr lahmgelegt.«

Kathryn sah Cole an. »Das war es also, was sie vorhatten! Die Tiere freilassen!«

Cole nickte langsam. »An den Wänden – das war also damit gemeint, wenn sie geschrieben haben ›Geschafft!‹«

Die Fahrerin grinste und schaltete das Radio an. Cole zeigte aufgeregt aus dem Fenster. Als Kathryn sich umdrehte und hinaussah, entdeckte sie, daß auf der benachbarten Schnellstraße der Verkehr völlig zum Stehen gekommen war; am Himmel flogen Hubschrauber der Polizei. Und auf dem Mittelstreifen stolzierten mit wippenden Köpfen drei Giraffen.

»*– und nun haben wir einen Tierrechtler im Studio, der*

eine kritische Ansicht über die sogenannten Zwölf Affen vertritt –«

Eine zweite, wütendere Stimme drang aus dem Lautsprecher. *»Wie können sich diese Narren nur ernsthaft einbilden, daß sie einem Tier etwas Gutes antun, wenn sie es in dieser städtischen Umgebung freilassen? Im Gegenteil ist es grausam, so etwas zu tun, beinahe so grausam, wie die Tiere gefangenzuhalten.«*

Draußen glitzerten Hochhäuser in der Morgensonne. Vor Kathryns und Coles Augen erhob sich ein Schwarm Flamingos aus einem Dickicht und flatterte zum Himmel auf. Kathryn spürte, wie Cole ihre Hand berührte, als sie den Vögeln nachsah und flüsterte: »Vielleicht wird ja noch alles gut.«

Sie legten den Rest der Fahrt schweigend zurück. Als sie am Flughafen angekommen waren, winkte die Taxifahrerin noch einmal, nachdem Kathryn und Cole bereits ausgestiegen waren.

»Paßt auf diese Affen auf«, meinte sie.

Kathryn lächelte. »Machen wir.«

Die beiden eilten in die Abflughalle, an wartenden Urlaubern und Geschäftsleuten vorbei. Die Halle war voller Menschen, die sich so dicht drängten, daß Kathryn und Cole unbeobachtet an einem Ticketschalter vorbeikommen konnten, wo ein untersetzter Mann dem Personal gerade Flugblätter in die Hand drückte.

»Danke, Detective Dalva«, sagte der Aufsichtsbeamte und betrachtete neugierig die Fotos.

»Sagen Sie Ihren Leuten, wenn Sie die beiden oder einen von ihnen sehen, sollen sie nicht versuchen, sie aufzuhalten. Sie sollten uns nur durch die Flughafensicherheit benachrichtigen.« Dalva wandte sich ab und verschwand in der Menge.

Nicht weit entfernt war Kathryn stehengeblieben und sah sich etwas auf einer Informationstafel an, wobei sie unruhig von einem Fuß auf den anderen trat, weil sie die hohen Absätze nicht gewöhnt war. Neben ihr versuchte Cole die neuen Eindrücke aufzunehmen: die riesige Abflughalle, die Aussichtsfenster und Menschenmengen, die auf die jeweiligen Tore zueilten. Aus einem Lautsprecher ertönte die Stimme einer Frau.

»Erster Aufruf für Flug Nummer 531 nach Chicago...«

Cole schüttelte erschrocken den Kopf. »Ich kenne diesen Ort! Aus meinem Traum!«

Kathryn sah sich weiter die Informationstafeln an und runzelte die Stirn. »Flughäfen sehen alle gleich aus«, sagte sie nervös. »Vielleicht ist es –«

Sie drehte sich herum und keuchte erschrocken: »James! Dein Schnurrbart verrutscht!«

»Es ist nicht nur der Traum«, fuhr Cole fort. Er sah sie nicht an. »Ich bin tatsächlich hiergewesen. Ich erinnere mich jetzt. Meine Eltern und ich haben meinen Onkel zum Flughafen gebracht. Etwa eine Woche oder zwei bevor... bevor alle anfingen zu sterben.« Seine Stimme war nur noch ein Flüstern.

Kathryn trat von den Informationstafeln zurück und sah

230

sich nervös um. Am anderen Ende der Halle entdeckte sie zwei Polizisten in Uniform, die sich die Gesichter der vorbeikommenden Reisenden ansahen.

»Die suchen vielleicht nach uns, James«, sagte sie schnell. Sie öffnete ihre Handtasche, holte eine kleine Tube Kleber heraus und reichte sie ihm. »Hier – kleb dir damit den Schnurrbart wieder an. Auf der Toilette.«

Aber Cole starrte eines der Aussichtsfenster an. »Ich bin als Kind schon mal hiergewesen«, sagte er mit unbeteiligter, beinahe verträumter Stimme. »Und ich glaube, du warst auch hier. Aber du hast genauso ausgesehen wie jetzt.«

Kathryn zerrte verzweifelt an seinem Arm. »James, wenn sie uns erwischen, werden wir nie nach Key West kommen!«

Plötzlich war er wieder bei sich. »Gut! Du hast recht – ich muß mich darum kümmern.« Er strich sich über den Schnurrbart und nickte.

»Ich hole die Tickets, und wir treffen uns –« Kathryn sah sich um und entdeckte eine Reihe von Geschäften neben den Rolltreppen »– in dem Souvenirladen da.«

Cole sah ihr nach, als sie auf die Rolltreppe zuging, und bemerkte, daß ihre langen Beine und der enge Rock ihr die bewundernden Blicke einer Gruppe junger Männer in College-Jogginganzügen einbrachten. Dann ging er auf die Herrentoilette zu.

Er hatte die Tür beinah erreicht, als er die Münztelefone sah, eine lange Reihe von Glas- und Stahlkabinen entlang einer Wand. Geschäftsreisende hatten jede dieser Nischen belegt, bis auf eine. Cole zögerte, machte noch einen Schritt, hielt dann inne. Er biß sich auf die Lippen und spürte, wie sein Schnurrbart um weitere Millimeter verrutschte. Schnell schob er ihn wieder zurecht. Er nickte entschlossen, griff in die Tasche und eilte in die leere Nische. Ungeschickt steckte er mehrere Münzen in den Schlitz, wartete, wählte und hörte dann, wie der Anrufbeantworter sich einschaltete. Als die Durchsage zu Ende war, begann er zu sprechen, knapp und abgehackt, mit leiser Stimme und ungeheuer angespannter Miene.

»Hier spricht Cole, James. Hören Sie, ich weiß nicht, ob Sie da sind oder nicht. Kann sein, daß Sie wirklich nur Teppiche reinigen. Wenn, dann haben Sie Glück – dann werden Sie ein langes, glückliches Leben führen. Aber... falls es auch andere gibt und ihr diese Botschaft abhört... vergeßt das mit der Armee der Zwölf Affen. Sie waren es nicht. Das war ein Fehler! Es müssen andere gewesen sein. Die Armee der Zwölf Affen sind bloß ein paar dumme Kinder, die Revolution spielen.«

Als er sich nervös umsah, bemerkte er, wie der Geschäftsmann in der Nachbarzelle schnell den Blick abwandte. Cole drückte abermals den lockeren Bart fest und flüsterte eindringlich weiter ins Telefon.

»Ich habe meine Arbeit getan. Ich habe getan, was Sie wollten. Viel Glück. Ich komme nicht zurück.«

Er legte auf, sah sich wieder um und bemerkte, daß mehrere Leute ihn neugierig anstarrten. Er zog den Kopf ein und eilte auf die Herrentoilette.

Drinnen blieb er mit gesenktem Kopf vor einem Waschbecken stehen. Er wusch sich methodisch die Hände und wartete darauf, daß ein anderer Reisender endlich ging. Eine Lautsprecherdurchsage ertönte, der Mann trocknete sich die Hände ab, warf Cole noch einen verwunderten Blick zu und ging.

Sobald der andere verschwunden war, sah Cole sich um. Als er niemand sonst entdecken konnte, holte er die Tube mit dem Kleber aus der Tasche, spritzte etwas von dem Zeug unter das lockere Ende des Schnurrbarts und drückte ihn fest auf die Haut. Er reckte sich dem Spiegel entgegen und betrachtete sich forschend, um sich zu überzeugen, daß das Ding diesmal halten würde.

»Haste Probleme, Bob?« krächzte eine vertraute Stimme.

Mit einem unterdrückten Aufschrei fuhr Cole herum und sah sich hektisch nach der Quelle dieser Stimme um. Nichts – bis er unter der Tür einer Kabine ein paar zweifarbige Schuhe entdeckte, die unter heruntergelassenen Hosen hervorlugten.

»Laßt mich in Ruhe!« schrie er. »Ich habe meinen Bericht abgegeben. Das hätte ich nicht tun müssen.«

Die Stimme lachte kehlig und unheilverkündend. »Aber es is nun mal 'ne Tatsache, Bob, daß du nicht hierhergehörst. Es ist nicht erlaubt, daß du hierbleibst.«

Cole schrie seine Antwort über das Gurgeln einer Wasserspülung hinweg. »Das hier ist die Gegenwart! Es ist nicht die Vergangenheit! Und auch nicht die Zukunft. Es passiert *gerade jetzt!*«

Die Tür der besetzten Kabine ging auf, und heraus trat ein dicklicher Geschäftsmann, der den Blick mißtrauisch auf Cole richtete. Der Mann machte einen weiten Bogen um ihn, als er zum Waschbecken ging.

»Ich bleibe hier!« schrie Cole. »Habt ihr das verstanden? *Ihr könnt mich nicht aufhalten!*«

Der Geschäftsmann überlegte es sich anders, ließ das Waschbecken links liegen und ging direkt zur Tür. »Wie Sie wollen, Mann«, sagte er mit dünner, hoher Stimme. »Das geht mich nichts an.«

Cole sah ihm verzweifelt hinterher, dann drehte er sich um und spähte unter den anderen Kabinentüren durch, suchte nach Lebenszeichen. Hatte er sich die Stimme nur eingebildet? War das der Anfang eines weiteren Alptraums? Er floh aus der Toilette und hatte vor, Kathryn zu suchen und ihr nicht wieder von der Seite zu weichen.

Die Abflughalle war noch überfüllter als zuvor. Beinahe pausenlos wurden Flüge aufgerufen. Erschüttert sah Cole sich um. Er zog den Kopf ein und eilte zur Rolltreppe, in der Hoffnung, Kathryn dort abfangen zu können. Plötzlich legte ihm jemand die Hand auf die Schulter.

»Du mußt verrückt sein, Mann!«

Er versuchte sich loszureißen und fand sich einem jungen Puertoricaner in einer Raiders-Jacke, mit seitlich aufgesetzter Baseballmütze und verspiegelter Sonnenbrille gegenüber.

»Jo – José?« stotterte Cole.

José schüttelte mit ernster Miene den Kopf, während sich andere Reisende an ihnen vorbeidrängten. »Dir die Zähne rauszureißen, Mann – so ein Wahnsinn! Hier, nimm das hier –«

Er schob sich dichter an Cole heran und versuchte, ihm eine 9-Millimeter-Pistole in die Hand zu drücken. Cole starrte ihn ungläubig an und wich zurück.

»*Was?* Was soll ich denn damit? Spinnst du?« Er schlug José auf die Hand und sah sich hektisch um. Frustriert schob José die Waffe wieder unter seine Jacke, dann packte er Coles Arm.

»Ich? Machst du Witze? Du bist derjenige, der spinnt.« Seine Augen glitzerten, als er Cole ansah. »Du warst ein Held, Mann. Sie haben dir dir Strafe erlassen! Und was machst du? Du kommst zurück und machst mit deinen Zähnen rum! Mann!« Josés Stimme verklang in bewunderndem Staunen.

»Wie habt ihr mich gefunden?«

José schob sich dichter an Cole heran, als eine Gruppe Hare Krishnas vorbeizog. »Der Anruf, Mann«, sagte er leise. »Der Anruf. Sie haben ihn rekonstruiert.«

»Aber ich habe doch gerade erst telefoniert!« sagte Cole ungläubig. »Vor fünf Minuten oder so.«

José zuckte die Achseln. »He, vor fünf Minuten, vor dreißig Jahren! Sie haben es eben wieder zusammengesetzt.«

Er senkte die Stimme noch weiter, imitierte Coles Tonfall: »»Hier spricht Cole, James. Hören Sie, ich weiß nicht, ob Sie da sind oder nicht. Kann sein, daß Sie wirklich nur Teppiche reinigen.‹ Haha!« Er gab Cole einen Ellbogenstoß und schüttelte wehmütig den Kopf. »Teppiche reinigen? Wo hast du denn das her? ›Vergeßt das mit der Armee der Zwölf Affen.‹ Wenn sie die Nachricht früher gekriegt hätten…«

José verstummte. Er sah Cole an, hin- und hergerissen zwischen Wut und einer gewissen Wehmut, und versuchte noch einmal, ihm die Pistole in die Hand zu drücken. »Hier, nimm sie! Du könntest immer noch ein Held sein, wenn du nur mitarbeiten würdest!«

Cole schob ihn weg und lief zur Rolltreppe. Er betrat sie und klammerte sich fest ans Geländer. Er versuchte, José zu ignorieren.

»Komm schon, Cole, sei kein Arsch«, bettelte der. Cole starrte nur ungerührt geradeaus und versuchte, seinen rasenden Herzschlag durch reine Willensanstrengung zu verlangsamen. Einen Augenblick lang schwiegen beide Männer.

»Verdammt, ich hab meine Anweisungen!« rief José verzweifelt. »Weißt du, was ich machen soll, wenn du nicht mitmachst? Ich soll die Frau erschießen! Hast du das verstanden? Sie haben gesagt: ›Wenn Cole diesmal nicht gehorcht, Garcia, dann müssen Sie seine Freundin erschießen!‹«

Entsetzt fuhr Cole herum.

236

»Ich hab keine andere Wahl, Mann«, jammerte José. »Das sind meine Anweisungen. Nimm die Knarre einfach, ja?«

Cole schüttelte den Kopf, wollte etwas sagen, brachte aber kein Wort heraus. Er wandte sich von José ab, starrte stumpf die Rolltreppe an, die nebenan nach oben führte – und sah den Mikrobiologen dort, das Gesicht hinter einer eckigen Sonnenbrille verborgen, in einem dunklen Anzug. Als Cole ihn anschaute, schob er die Brille hoch und sah ihn unerbittlich an, aus Augen, die die Farbe schmutzigen Eises hatten. Dann trug die Rolltreppe ihn weiter. Sehr langsam wandte sich Cole wieder José zu, der immer noch hinter ihm stand.

»Diesmal geht es gar nicht um den Virus, nicht wahr?« Sein Gesicht war ausdruckslos, als José ihm die Waffe in die Hand drückte.

»He, Mann –«

»Diesmal geht es um Gehorsam, darum, daß ich tue, was man mir gesagt hat.« Sie waren unten angekommen und Cole stolperte von der Rolltreppe.

»Sie haben dir die Strafe erlassen, Mann«, rief José ihm flehend nach. »Was willst du denn noch?«

Cole gab keine Antwort mehr. Er schob sich die Pistole in die Hosentasche und eilte auf den Geschenkladen zu. José mußte rennen, um mit ihm Schritt zu halten.

Am Ticketschalter stand Kathryn in der Schlange, die Augen hinter der Sonnenbrille verborgen, den Mund zu einem starren Lächeln verzogen. Vor ihr hatte eine Gruppe von Touristen, die zusammen unterwegs waren, gerade ihre Transaktionen endlich abgewickelt. Kathryn trat an den Schalter und versuchte, wie jemand auszusehen, der vor dem schönsten Urlaub seines Lebens steht.

»Judy Simmons«, sagte sie. »Ich habe Tickets nach Key West reservieren lassen.«

Die Stewardeß erwiderte ihr Lächeln automatisch und gab etwas in den Computer ein. »Da haben wir's«, verkündete sie, als der Drucker begann, die Tickets auszuspucken. »Wie zahlen Sie?«

Kathryns Magen zog sich zusammen, und ihr Mund tat schon weh vom vielen Lächeln. »So!« sagte sie vergnügt und zog ein Bündel Banknoten aus der Brieftasche.

Die Frau am Schalter lachte. »Ooooh – so was sehen wir nicht oft. Bargeld, meine ich.«

Kathryn zog eine Grimasse. »Das ist eine lange Geschichte.«

Die Stewardeß zählte das Geld, gab noch einmal etwas in den Computer ein und reichte Kathryn schließlich die Tickets. »Der Aufruf wird in etwa zwanzig Minuten erfolgen«, sagte sie lächelnd. »Ich wünsche Ihnen einen guten Flug, Ms. Simmons.«

Kathryn wandte sich ab – zu schnell, weil sie nicht wollte, daß die Frau bemerkte, wie ihre Hände zitterten – und ließ die Tickets fallen. Die Frau, die in der Schlange hinter ihr gestanden hatte, schob sich nach vorn, während Kathryn hektisch versuchte, die Papiere wieder einzusammeln. Atemlos kam sie wieder hoch, was mit den hohen Absätzen nicht einfach war, und hoffte nur, daß ihre Perücke nicht verrutscht wäre. Sie warf einen schnellen Seitenblick auf die Leute in der Schlange, ob jemand etwas bemerkt hatte, aber alle standen noch so da wie zuvor, mit ungeduldigen oder gleichgültigen Mienen, und schoben langsam ihr Gepäck vorwärts. Rasch ging Kathryn weiter und wäre beinahe über etwas gestolpert; als sie aufblickte, sah sie, daß ihr Absatz sich im Griff einer vollgestopften Chicago-Bulls-Sporttasche verfangen hatte.

»Oh! Tut mir leid, entschuldigen Sie bitte –« keuchte sie, hob den Fuß und trat zur Seite. Die Tasche blieb, wo sie war, neben einem Bein, das in einer unglaublich geschmacklosen karierten Hose steckte. Sein Besitzer gönnte ihr nicht einmal einen Blick.

»Entschuldigung.« Eine Stewardeß drängte sich vorbei, während Kathryn versuchte, sich an der Schlange vorbeizuschieben und dabei nicht schon wieder über die Tasche zu fallen.

Aber die Tasche war verschwunden. Kathryn warf einen nervösen Blick zum Schalter, besorgt, sie könne dem Mann aufgefallen sein. Aber sie sah nur diese unglaublichen Hosen und schütteres rötliches Haar in einem Zopf, der ein schlaffes Fragezeichen auf dem Hintergrund eines grellbunten Hemdes bildete. Der Mann hatte seine Sporttasche vor sich an den Schalter geschoben.

»Wow!« Die Stewardeß legte einen Stapel von Tickets auf den Schalter und blätterte sie noch einmal ehrfürchtig durch. »San Francisco, New Orleans, Rio de Janeiro, Kinshasa, Karatschi, Bangkok, Peking! Da haben Sie ja einiges vor, Sir – und das alles innerhalb einer Woche!«

Der Mann zuckte mit den Achseln. »Alles geschäftlich.«

Die Frau reichte ihm den Papierstapel. »Gute Reise, Sir.« Als der Mann sich umdrehte, wandte Kathryn sich ab und ging dann auf den Souvenirladen zu. Ihre hohen Absätze klapperten hektisch.

Der Laden war voll, aber Kathryn konnte Cole nicht entdecken. Sie sah auf die Uhr, schloß die Augen und holte tief Luft.

Es wird nichts dazwischenkommen. Nichts wird schiefgehen. Du wirst ihn finden, und dann steigt ihr in dieses Flugzeug, und heute abend seht ihr euch schon am Strand den Sonnenuntergang an.

Sie öffnete die Augen wieder, setzte ein Lächeln auf und ging hinüber zur Reiseabteilung. Sie wählte ein Buch über Key West aus. Dann trat sie an einen Ständer mit Zeitschriften.

»Flug Nummer 272 nach Houston jetzt an Gate...«
Wieder sah sie nervös auf die Uhr.

Wo bleibt er nur?

Sie biß sich auf die Lippen, schmeckte den ungewohnten Lippenstift, dann ging sie zur Kasse. Sie reckte den Hals, um die Schlagzeilen der Zeitungen zu lesen, die dort gestapelt waren, und daher sah sie den Mann mit dem Zopf vor sich nicht, der eine Sportzeitschrift in der Hand hielt.

Statt dessen rückte sie näher an die Zeitungen heran und las stirnrunzelnd die Schlagzeilen:

Zootiere befreit!
*Berühmter Wissenschaftler
im Gorillakäfig eingeschlossen*

Unter der Schlagzeile waren zwei Fotos zu sehen. Eines zeigte Dr. Leland Goines mit bleichem, angespanntem Gesicht. Mehrere Polizisten halfen ihm gerade aus dem Käfig heraus. Auf dem anderen Foto war der triumphierende Jeffrey Goines zu sehen, der mit manischem Grinsen die mit Handschellen gefesselten Hände hob – mit der einen machte er das Sieges-V, die andere reckte den Mittelfinger.

»Entschuldigen Sie –«

Sie zuckte zusammen, als sich ein Mann an ihr vorbeidrängte und mit seiner Tasche gegen ihr Bein stieß. Als sie aufblickte, runzelte sie die Stirn.

Es war der Mann mit dem Zopf, der mit der Chicago-Bulls-Tasche und den gräßlichen Hosen, derselbe, den sie noch vor Minuten am Ticketschalter gesehen hatte. Aber jetzt konnte sie zum ersten Mal sein Gesicht sehen, teigig und mit einem heimtückischen Ausdruck. Strähnen rötlichen Haars hingen ihm in die Stirn.

Den habe ich doch schon einmal gesehen, aber wo…?

»Der Nächste!« drängte der Mann hinter der Kasse. Kathryn wandte sich wieder der Theke zu, als der Verkäufer den Preis ihrer Zeitschriften eintippte.

»Das sind dann sechs achtundneunzig.«

Sie zahlte, warf einen Blick zurück und konnte gerade noch das Profil des rothaarigen Mannes sehen, der eine Zeitschrift überflog.

Sie hielt die Luft an, als es ihr wieder einfiel: der überfüllte Empfangsraum im Hörsaalgebäude, ein schlaksiger rothaariger Mann, der sich unhöflich zu ihrem Tisch durchdrängte, sein Namensschild, auf dem DR. PETERS stand, und seine wichtigtuerische Bemerkung:

»In einem solchen Kontext ist es nur gesund zu warnen! Die wirklich Wahnsinnigen sind doch diejenigen, die weiterleben wie bisher und auf alle Bedrohungen nur eine Antwort kennen: ›Sollen wir nicht Shopping gehen?‹«

Eine ganze Minute lang stand sie da, zu entsetzt, sich zu rühren oder irgend etwas zu unternehmen; sie sah den Mann nur noch, als er davoneilte.

»He, Miss – können Sie ein bißchen zur Seite gehen?«

Mit einem mechanischen Nicken trat Kathryn zur Seite, und ein Mann im Overall warf ein Bündel Zeitungen auf den Stapel neben ihr. Als er wieder ging, schaute sie nach unten und las:

TERRORISTEN RICHTEN CHAOS AN

Das Foto unter der Schlagzeile zeigte ein Rhinozeros, das stolz mitten in einem Stau stand. Daneben waren noch zwei Fotos, eines von Dr. Goines im Gorillakäfig und eines, auf dem er in seinem Laboratorium zu sehen war.

Neben ihm stand ein weiterer Mann, der ein schwarzes T-Shirt unter dem Laborkittel und sein Haar zu einem Zopf gebunden trug. Kathryn starrte das Foto zunächst verständnislos an, aber dann konnte sie das Gesicht von Dr. Goines' Assistenten identifizieren.

Das war der Mann, der bei ihrer Lesung gewesen war. Der Mann vom Ticketschalter.

Der Mann mit der Chicago-Bulls-Tasche und dem Zopf.

»O Gott!« schrie sie laut und sah sich verzweifelt nach ihm um.

Aber Dr. Peters war verschwunden.

»...Aufruf für Flug Nummer 784 nach San Francisco, Gate achtunddreißig.«

In der Haupthalle eilte Cole auf den Souvenirladen zu, und José versuchte verzweifelt, mit ihm Schritt zu halten.

»Wen soll ich denn erschießen?« wollte er wissen, aber gerade in diesem Augenblick kam Kathryn angerannt. Sie umklammerte ihre Handtasche und ein paar Zeitschriften.

»James! Dr. Goines' Assistent!« rief sie atemlos. »Er ist... Er ist einer von diesen Endzeit-Spinnern! Ich glaube, er hat mit der Virusgeschichte zu tun.« Sie gestikulierte wild auf einen langen Korridor zu, vor dem eine Reihe von Metalldetektoren standen, umgeben von Reisenden und blauuniformierten Sicherheitsleuten. »Der nächste Flug nach San Francisco geht von Gate achtunddreißig aus. Wenn er dort ist, bin ich sicher, daß er damit zu tun hat.«

Cole registrierte, wie aufgeregt Kathryn war, dann warf

er José einen Blick zu, der zurückgetreten und schon fast in der Menge verschwunden war. Er fing noch einen letzten Blick von José auf, der auf Kathryn zeigte und langsam und ernst nickte. Dann war er verschwunden. Und Cole fand sich abrupt weggerissen, als Kathryn ihn auf den Korridor mit der Sicherheitskontrolle zuzerrte.

»Vielleicht können wir ihn aufhalten«, sagte sie mit dünner, unsicherer Stimme. »Vielleicht können wir wirklich etwas tun…«

Cole sah sie an und nickte. In seinen Augen brannten Tränen, als er versuchte, alles ein letztes Mal logisch zu durchdenken: die blonde Frau, ihre hellblauen Augen einen Augenblick lang schutzlos, als sie die Sonnenbrille abnahm und wild zu dem Sicherheitstor hinstarrte; den Flughafen, in dem es von Feiertagsreisenden nur so wimmelte; die Aussichtsfenster, vor denen sich eine Reihe dunkler Silhouetten abzeichnete: Fluggäste, die den täuschend ruhigen Bewegungen der Jets am blauen Himmel folgten.

»Ich liebe dich, Kathryn«, flüsterte er. »Denk immer daran…«

Sie sah ihn nicht an, schien ihn nicht einmal gehört zu haben, sondern zerrte ihn nur weiter auf das Tor zu.

Sie stellten sich in der Schlange an. Cole bewegte sich wie ein Schlafwandler, die endlosen Lautsprecheransagen bildeten einen Kontrapunkt zu seinem heftigen Herzschlag. Kathryn neben ihm war unruhig, aber er sah nur wie betäubt zu, wie die Reisenden nacheinander in den Metallbogen traten und Koffer und Handtaschen und Kameras, Stofftiere und Skier und noch andere so normale, alltägliche Gegenstände auf das Band legten. Als er dem Beginn der Schlange näher kam, sah er einen kleinen Jungen, der vor seinen Eltern herrannte und ihnen zugrinste, als er stolz durch den Bogen trat. Cole schloß die Hand fester um den Pistolengriff, als er sein sechsjähriges Ich aus dem Blickfeld verlor, sah, wie der Junge in einer Zukunft verschwand, die er sich hätte vorstellen können.

»...*Die Taschen flach hinlegen, bitte. Flach hinlegen...*«
Neben Cole hatte sich Kathryn nervös auf die Zehenspitzen erhoben und versuchte vergeblich, über die Menge von Reisenden vor ihnen hinwegzuspähen.

»O Gott, wir haben keine Zeit für so was«, sagte sie.

Mehrere Meter entfernt, wo sich die Menge am dichtesten drängte, standen ein Flughafenpolizist und ein rundlicher Detective, hatten den Wartenden den Rücken zugedreht und betrachteten mißtrauisch diejenigen, die ihr Gepäck wieder vom Förderband nahmen.

»...*flach hinlegen, bitte, flach hinlegen...*«
Ein Mann legte eine vollgepackte Chicago-Bulls-Tasche auf das Band und ging rasch durch den Bogen. Als die Tasche am Röntgengerät vorbeilief, runzelte der Sicherheitsbeamte, der den Monitor überwachte, die Stirn.

»Entschuldigen Sie, Sir, dürfte ich mir Ihre Tasche einmal genauer ansehen?«

Dr. Peters, bereits auf der anderen Seite des Tors, blieb stehen und zog überrascht die Brauen hoch.

»Meinen Sie mich? Aber selbstverständlich. Das sind Proben. Ich habe die zugehörigen Papiere dabei.«

Er trat zur Seite und warf denen, die hinter ihm aufgehalten wurden, einen beschwichtigenden Blick zu. Der Sicherheitsmann winkte ihn zu einem Tisch. Dr. Peters packte seine Tasche aus und stellte sechs Metallzylinder auf den Tisch, dann packte er Kleidung zum Wechseln und einen Walkman aus.

»Biologische Laborproben«, erläuterte er mit entschuldigendem Lächeln. »Ich habe die Unterlagen hier –«

Er hielt dem Mann eine Mappe mit offiziell aussehenden Dokumenten hin. Inzwischen hatte der Sicherheitsbeamte einen der Behälter in die Hand genommen, drehte und wandte ihn verwundert. Schließlich sagte er: »Ich werde Sie bitten müssen, das zu öffnen, Sir.«

»Öffnen?« Dr. Peters blinzelte begriffsstutzig. »Oh! Ja, natürlich –«

Er griff nach dem Metallzylinder und begann, ihn aufzuschrauben. Hinter ihm erhoben sich Stimmen. Dr. Peters achtete nicht darauf, aber der Sicherheitsmann drehte sich verärgert um.

Eine Frau war aus der Schlange ausgeschert und redete und gestikulierte heftig auf einen anderen Sicherheitsmann ein. Eine langbeinige blonde Frau, grell gekleidet und mit Schmuck, der selbst aus der Entfernung falsch wirkte. Der Sicherheitsmann warf seinem Kollegen und Detective Dalva einen Blick zu, die ihrerseits den Aufruhr interessiert beobachteten, dann wandte er sich wieder Dr. Peters zu.

»Hier! Sehen Sie?« Mit großer Geste holte Dr. Peters ein Reagenzglas aus dem Metallzylinder und hielt es ins Licht.

»Biologisch! Überprüfen Sie die Papiere – es ist alles in Ordnung. Ich habe die Erlaubnis.«

Der Sicherheitsmann starrte die versiegelte Glasröhre an. »Das ist ja leer!«

Dr. Peters nickte lächelnd. »Ja, das stimmt, es sieht leer aus. Aber ich versichere Ihnen, das ist es nicht!«

Aus der Warteschlange ertönten ärgerliche Stimmen. Wieder warf der Sicherheitsmann einen Blick nach hinten.

»Bitte hören Sie mir doch zu!« flehte Kathryn immer noch seinen Kollegen an. »Es ist wirklich wichtig!«

Der Mann schüttelte geduldig den Kopf. »Sie müssen sich anstellen wie alle anderen, Ma'am.«

»Wir haben es alle eilig, gute Frau«, rief ein Geschäftsmann gereizt. »Wieso sollten Sie eine Extrawurst bekommen?«

Der Sicherheitsmann zuckte mit den Achseln und wandte sich ab. »Feiertage. Machen die Leute ganz verrückt.«

Dr. Peters lächelte freundlich und holte auch aus den nächsten fünf Zylindern Reagenzgläser, während sein Gegenüber die Dokumente überprüfte.

»Sehen Sie?« Dr. Peters wies auf die ordentliche Reihe von Gläschen. »Alles für das menschliche Auge nicht zu erkennen.« Plötzlich grinste er und griff nach einem der Gläser. Er beugte sich vor, öffnete es und wedelte damit vor der Nase des Mannes herum. »Sehen Sie?« Er kicherte. »Es riecht nicht mal.«

Der Sicherheitsmann blickte von den Dokumenten auf, sah das scheinbar leere Glas und lächelte.

»Das ist nicht nötig, Sir.« Er gab Dr. Peters die Papiere zurück. »Alles in Ordnung. Ich danke Ihnen für Ihre Mitarbeit. Guten Flug.«

Hastig sammelte Dr. Peters seine Reagenzgläser und Behälter ein und schob sie in die Sporttasche. Er warf einen Blick zurück, wo die blonde Frau immer noch hektisch auf den inzwischen ziemlich wütenden Sicherheitsmann einredete.

»Haben Sie eben ›Idiot‹ gesagt?«

Plötzlich trat hinter der Frau ein blonder Mann hervor, ein muskulöser Mann in einem grellbunten Hawaiihemd. »Lassen Sie sie sofort los!« sagte er eisig.

Der Sicherheitsmann wich einen Schritt zurück und warf einen hilfesuchenden Blick über die Schulter. Neben dem Metalldetektor standen Detective Dalva und der Flughafenpolizist mit verschränkten Armen und verfolgten das Spektakel interessiert. Plötzlich runzelte Detective Dalva die Stirn.

»James...« flüsterte Kathryn und legte Cole die Hand auf den Arm.

Instinktiv griff Cole nach seinem Schnurrbart und spürte die Borsten zu tief auf der Oberlippe. Einen Augenblick lang traf sein Blick den des Detective, dann wandte Cole sich ab. Auf der anderen Seite des Metalldetektors griff Dr. Peters nach seiner Tasche und eilte davon.

»Warten Sie! Einen Augenblick noch –«

Dr. Peters erstarrte und wurde plötzlich bleich. Er drehte sich langsam um und sah, wie der Sicherheitsmann ihm hinterherlief und eine Unterhose in der Hand hatte.

»Sir! Die haben Sie vergessen –«

Dr. Peters griff danach und steckte sie in die Tasche, während er weiter den Gang zu den Gates hinunterging.

»Ich habe gesagt, Sie sollen die Finger von ihr lassen«, wiederholte Cole drohend. Aber der Sicherheitsmann behauptete die Stellung, wenn auch etwas unsicher. »Sie ist keine Kriminelle. Sie ist Ärztin – Psychiaterin.«

Kathryn warf ihm einen erschrockenen Blick zu und drehte sich dann um, als sie rasche Schritte hörte. Sie erkannte Detective Dalva, der nur noch ein paar Schritte von ihr entfernt war und mehrere Fotos in der Hand hielt. Hinter ihm zückte der Flughafenpolizist ein Funkgerät. Verzweifelt fuhr sie zu Cole herum und bemerkte, daß Dr. Peters gerade dabei war, aus ihrem Blickfeld zu verschwinden.

»Das ist er!« schrie sie und zeigte den Flur entlang. *»Dieser Mann da! Er hat einen tödlichen Virus dabei! Haltet ihn auf!«*

Cole wirbelte herum. Er sah einen Mann mit Zopf, der den Flur entlangrannte und dabei einen gehetzten Blick über die Schulter warf. Ein Mann mit Zopf und weiten, karierten Hosen.

Der Mann aus seinem Traum.

»Bitte – jemand muß ihn aufhalten!« Kathryns Stimme steigerte sich zu einem schrillen Kreischen, als Detective Dalva neben sie trat.

»Polizei«, sagte er und zeigte seine Marke. »Würden Sie bitte mitkommen?«

Bevor sie sich rühren konnte, warf sich Cole auf den Detective, brachte ihn aus dem Gleichgewicht und rannte dann durch den Torbogen. Ohrenbetäubender Alarm ertönte, dann erste Schreie aus der Menge, als der Sicherheitsmann versuchte, Cole aufzuhalten. Ohne ihm auch nur einen Blick zu gönnen, versetzte Cole dem Mann einen Hieb, der ihn zu Boden warf. Weiter hinten im Flur, vielleicht fünfzig Meter entfernt, schaute ein bleicher Dr. Peters zurück und sah, wie Cole eine Pistole aus der Tasche riß. Der Sicherheitsmann am Boden schrie entsetzt auf. *»Er ist bewaffnet!«*

Keuchend raste Cole den Flur entlang. Hinter ihm ging ein zweiter Polizist in Stellung, mit gespreizten Beinen, und legte auf ihn an.

»Stehenbleiben, oder ich schieße!«

Cole rannte weiter, kümmerte sich nicht um die erschrockenen Reisenden, die laut schreiend davonstoben, auch nicht um den kleinen Jungen, der mit seinen Eltern am Aussichtsfenster stand und mit Staunen beobachtete, wie eine 737 auf der Landebahn aufsetzte.

Noch ein Schrei. Der Junge drehte sich um und wurde von einem Mann mit Zopf beinahe umgerannt.

»*Paß doch auf!*« schrie der Mann.

Mit großen Augen sah der Junge zu, wie der Mann eine Chicago-Bulls-Tasche an die Brust riß und ungeschickt im Laufen herumwirbelte. Eine Sekunde später tauchte ein zweiter Mann auf: blond, mit weit aufgerissenen Augen und einem Schnurrbart, der ihm auf absurde Weise von der Lippe rutschte. Der Mann hatte eine Pistole. Hinter ihm folgte ein Uniformierter, ebenfalls bewaffnet, und zielte auf den blonden Mann, der weiter den überfüllten Flur entlangrannte.

»Neeeiiin!«

Wie im Traum drehte sich der Junge um, langsam, ganz langsam. Eine blonde Frau rannte auf ihn zu, unsicher auf hohen Absätzen, den Mund entsetzt aufgerissen. Ein paar Schritte von dem Jungen entfernt zuckte der blonde Mann zusammen, taumelte noch ein paar Schritte vorwärts und fiel dann – fiel, fiel...

»Mein Gott! Sie haben ihn erschossen!«

Die Stimme seiner Mutter. Der Junge spürte, wie sich eine Hand fester um seine Schulter schloß. Er blieb stehen und sah fasziniert zu, wie die blonde Frau zu dem Mann am Boden lief und neben ihm auf die Knie fiel. Auf dem grellbunten Hawaiihemd blühten scharlachrote Blüten auf, hinterließen Flecken auf der Hand der Frau, als sie sie berührte. So langsam, daß die Bewegung kaum wahrnehmbar war, hob der blonde Mann die Hand. Zärtlich strich er der Frau über die Wange, berührte ihre Tränen. Sie schüttelte stumm den Kopf.

251

»Komm schon, Sohn.« Sein Vater zog ihn weg, sanft, aber unerbittlich, während Flughafensanitäter herbeieilten, die Frau zur Seite schoben und hektisch versuchten, das Leben des Mannes zu retten. »Wir müssen hier weg.«

Während sein Vater ihn wegführte, drehte sich der Junge noch einmal um. Die Sanitäter wechselten einen Blick, zuckten hilflos mit den Achseln. Der Vater des Jungen zerrte ihn grob auf die nächste Biegung zu; er konnte die Hand seiner Mutter in seinem Haar spüren und sie murmeln hören, mehr zu sich selbst als zu ihm: »Schon gut, mach dir keine Gedanken, es wird alles wieder gut…«

Aber er wußte, jetzt und immer und für alle Zeit, daß sie log – nichts würde je wieder gut werden. Schon jetzt wußte er, er hatte einen Menschen sterben sehen.

Er ging langsamer, wollte nicht um die Ecke biegen, und drehte sich abermals um. Neben dem toten Mann kam die blonde Frau unsicher wieder auf die Beine, das Gesicht tränenüberströmt. Rasch drehte sie sich um und ließ den Blick über die Menge schweifen, schien verzweifelt nach etwas zu suchen. Zwei Männer in Uniform traten zu ihr, sagten etwas. Die Frau antwortete, sah sich immer noch um, und hörte auch nicht damit auf, als die Detectives ihr Handschellen anlegten. Plötzlich erstarrte sie.

Und sah direkt den Jungen an.

Er erwiderte ihren Blick stumm, überwältigt von dem Ausdruck auf ihrem Gesicht: Es war Liebe, aber anders als alles, was er je in den Augen seiner Eltern gesehen hatte.

Statt dessen stand in ihrem Blick etwas Wildes, Unzähmbares, das, noch während er sie ansah, ruhiger wurde, schließlich sogar resigniert, als habe sie durch seinen Anblick den Frieden gefunden, nach dem sie verzweifelt gesucht hatte.

»Beeil dich, Sohn.«

Mit einem letzten Blick zu der Frau drehte sich der Junge um. Tränen traten ihm in die Augen, und er begann leise zu weinen. Seine Mutter strich ihm durchs Haar und sagte: »Tu einfach so, als wäre alles nur ein böser Traum.«

An Gate achtunddreißig gingen die letzten Passagiere von Flug 748 nach San Francisco an Bord. In der ersten Klasse schob Dr. Peters seine Sporttasche in ein Gepäckfach, klappte dann die Fachtür zu und ließ sich mit einem lauten Seufzer in den Sitz fallen.

»Es ist wirklich ungeheuerlich, all diese Gewalt, dieser Wahnsinn!« sagte der Mann neben ihm. »Jetzt gibt es schon Schießereien auf Flughäfen. Man könnte wirklich glauben, daß auch die Menschen inzwischen zu den gefährdeten Arten gehören.«

Dr. Peters stimmte lächelnd zu. »Da haben Sie recht, Sir. Ich glaube sogar, Sie haben den Nagel auf den Kopf getroffen.«

Der Mann neben ihm, ein gepflegter, silberhaariger Geschäftsmann im dunklen Anzug, der einen goldenen Ohrring trug, streckte höflich die Hand aus.

»Mein Name ist Jones«, sagte er. Weiße Zähne glitzerten, als er lächelte. »Ich arbeite für eine Versicherungsgesellschaft.«

Auf dem Parkplatz des Flughafens stand ein kleiner Junge und sah zu, wie sich die 747 in den blaßblauen Himmel erhob, höher und höher, bis sie sich dort verlor wie eine einzelne Träne.

GOLDMANN

Tödlich. Teuflisch. Erotisch.

*Die neue Generation des Horrors. Nancy A. Collins.
Douglas Clegg. Peter James. Richard Laymon. Originell
und anspruchsvoll, grell und provokativ, psychologisch
präzise und atemabschnürend realistisch.*

David Wiltse,
Der Wille zu töten   8111

Nancy A. Collins, Der Todeskuß
der Sonja Blue   8103

Douglas Clegg,
Nimmerland   8113

Robert Vito, Das große Horror-
Lesebuch II   42019

Goldmann · Der Taschenbuch-Verlag